D0391454

LA VOLIÈRE

ANNIE CHRÉTIEN

La volière

roman

L'instant même

Maquette de la couverture : Anne-Marie Jacques

Illustration de la couverture : Louise Masson, *Cité lacustre,* 1998, huile sur toile, (163 × 97 cm), collection Prêt d'œuvres d'art du Musée national des beaux-arts du Québec (CP.99.11)

Photographe : Patrick Altman

Photocomposition : CompoMagny enr.

Distribution pour le Québec : Diffusion Dimedia
539, boulevard Lebeau
Montréal (Québec) H4N 1S2

Distribution pour la France : DNM – Distribution du Nouveau Monde

L'instant même
865, avenue Moncton
Québec (Québec) G1S 2Y4
info@instantmeme.com
www.instantmeme.com

Dépôt légal – Bibliothèque et Archives nationales du Québec, 2008

Catalogage avant publication de Bibliothèque et Archives nationales du Québec et Bibliothèque et Archives Canada

Chrétien, Annie,

La volière

ISBN 978-2-89502-252-7

I. Titre.

PS8505. H728V64 2008 C843'6. C2008-940975-2
PS9605. H728V64 2008

L'instant même remercie le Conseil des Arts du Canada, le gouvernement du Canada (Programme d'aide au développement de l'industrie de l'édition), le gouvernement du Québec (Programme de crédit d'impôt pour l'édition de livres – Gestion SODEC), et la Société de développement des entreprises culturelles du Québec.

Comme l'oiseau sur la branche
Comme l'ivrogne dans le chœur de la nuit
J'ai cherché ma liberté

Leonard COHEN, *Bird on the Wire.*

Il n'arrivait plus à différencier le rêve de la réalité. Chaque fois qu'il croyait comprendre où il en était et pourquoi, la vérité lui échappait. C'était tendre la main pour toucher le bleu du ciel ou de la mer.

Le nain

SON ODEUR L'AVAIT TRAHI, avait révélé sa présence. Une odeur écœurante de lait caillé et de tabac froid qui s'était infiltrée par une fente de la maison jusqu'à venir picoter les narines du traducteur, lui gratter le fond de la gorge, lui chauffer les yeux. Une odeur palpable, dense, épaisse. Rancie et sucrée.

Une fois de plus, le nain était passé directement sous la fenêtre, là, sous son nez, en le regardant de ses minuscules yeux noirs et perçants d'oiseau de proie. Pris d'un haut-le-cœur, d'un léger vertige, le traducteur avait levé les yeux vers ce bout de tête aux cheveux gras et épars, au front rougi. Il détaillait ce visage qui se trouvait à moins d'un mètre de lui : les veines dilatées et les pores ouverts de sa peau, le grisonnant de ses sourcils et les saletés aux coins de ses yeux voraces.

Le nain. Premier du lot. Premier mystère de tout. L'affreux bonhomme, court sur pattes, avec des pieds et des mains énormes, invariablement vêtu d'un costume de polyester sale et rapiécé, couleur jaune d'œuf.

Un clown ayant passé une mauvaise nuit.

Comme chaque jour, le nez écrasé contre la vitre, le petit homme dévisageait le traducteur assis à l'ordinateur, surpris et agacé. Toujours la même scène. Le même duel. La même rencontre distante. Aucune parole. Jamais de certitude. Le nain ne paraissait pas du tout gêné de son insistance. À l'aise, quasiment chez lui. Il ne clignait pas des paupières, ne faisait pas semblant de s'être trompé de maison, ne s'excusait de rien. Ses yeux suintants fixaient le traducteur qui le regardait éberlué, les sourcils arqués, en attente de quelque chose ; perplexe et déjà envahi.

Que faisait ce nain chez lui ? Pourquoi l'importunait-il obstinément depuis presque toujours ?

D'un mouvement brusque et rapide de la main, le traducteur lui fit signe de déguerpir, comme s'il s'était agi de chasser un animal ou un enfant curieux. Ouste ! Basta !

Fidèle à son habitude, le nain fit remuer ses petites pattes jaunes sur le gazon mouillé. Sans demander son reste, la gueule ouverte, la langue pendante, il détala tel un raton laveur surpris, non sans s'arrêter devant la porte de la maison pour y déposer un exemplaire du prospectus d'allure douteuse qu'il livrait tous les jours, à l'heure pile.

* * *

Le traducteur besognait sur un texte d'une grande complexité, qui traitait de fin d'exercice financier, d'économies d'échelle et de cadres stratégiques : autant de concepts qui l'ennuyaient. Un bilan soporifique de trente-deux pages dont il ne comprenait ni le début ni la fin, encore moins le milieu : il traduisait des phrases ou des paragraphes par-ci, par-là, au hasard, espérant finir par découvrir un sens caché qui se révélerait sans qu'il ait eu à le chercher. Un texte cryptique. Crypté. Occulte.

Plus il le lisait, moins ce texte avait de logique, plus il ressemblait à un cauchemar dans lequel on cherche la solution d'un calcul improbable. Un de ces songes maudits où on passe la nuit à tout retourner dans sa tête, à tout remettre en question, à se fonder sur des principes inexistants, bidons et compliqués, pour se réveiller le matin, épuisé et écœuré, tout à coup conscient de l'absurdité de l'entreprise et de toutes ces heures de sommeil gaspillées.

Des mots et des mots, des longs et des courts, tous totalement vides de sens, sans résonance, entassés à simple interligne, ne côtoyant à peu près aucun point. Rien de réel. Des concepts impossibles. Des lettres à la queue leu leu. Des inventions humaines, des mystères. Un monde auquel le traducteur n'appartenait déjà plus.

Le traducteur n'alla pas chercher le prospectus qui, comme les autres, clamait : « Pour devenir riche, vous n'avez qu'à savoir mon nom ! » Un nom à connaître, mais qui n'était mentionné nulle part dans le texte. Au moins vingt exemplaires traînaient déjà sur la table du salon, en attendant le moment où sa femme passerait, un sac poubelle à la main. Des publicités minables au texte dactylographié sur une feuille volante jaunie, décorée d'un motif en zigzag gauchement dessiné au stylo. Idéal pour rebuter n'importe quel consommateur.

Psychologie inversée peut-être, stratégie de marketing sûrement, le traducteur avait lu le premier prospectus reçu : pour devenir immensément riche, il n'avait qu'à composer un numéro de téléphone sans frais, faire quelques promesses nébuleuses et l'homme au bout du fil « transformerait la paille en or » pour lui.

Bien sûr, comme tout le monde, le traducteur aurait voulu être riche. Être riche pour se payer tout ce que sa peste de femme l'empêchait d'acheter : un peu de superflu, rien de trop extravagant, du bon temps, du plaisir, une belle vie, du bonheur. Avec elle, il fallait tout calculer, tout bien penser, peser et budgétiser. Un despote. Être riche pour qu'elle sorte magasiner.

Être riche pour devenir quelqu'un d'autre. Libre. Écrire le livre qu'il se jurait de publier depuis quinze ans.

Le traducteur était un homme réfléchi, rationnel : personne ne le piégerait avec un attrape-nigaud de la sorte. De toute façon, il n'était pas fait pour mener grand train, avait sans doute plus de chances de vivre n'importe quoi d'autre que ça. Plus de chances d'être frappé par la foudre ou happé par un requin. Plus de chances des pires sévices, des plus gros drames.

La vie ne lui faisait pas de cadeaux, l'avait toujours tenu à l'écart. Elle aimait le torturer. Par la force des choses, elle l'avait condamné à endurer une femme tyrannique et à gagner son pain avec des petits boulots de traduction. Il assurait sa survie comme il pouvait, son existence se bornait à se débattre, à nager en petit chien dans une mer démontée.

* * *

En grève contre son gré, pratiquement en faillite, le traducteur perdait son temps bien avant l'irruption du nain jaune. Depuis toujours, lui semblait-il. Comme la veille et le jour d'avant, il avait passé l'après-midi à se convaincre qu'il travaillait quand, en fait, il s'était contenté de fixer un point perdu à l'horizon, absorbé par son découragement, plus occupé à se gratter le menton qu'à taper au clavier.

Il avait eu des pensées floues. Fuyantes. Qui ne laissaient aucune trace dans sa mémoire. Une chaîne de pensées en cascade. Vaporeuses, insaisissables. Il s'était baladé d'idée en idée sans s'accrocher à aucune. La tête absente de tout, imbécile, cherchant ses mots, il n'arrivait plus à faire son métier. Il errait, déprimait, divaguait, comme chaque jour de sa vie.

* * *

Machinalement, le traducteur alluma une cigarette. N'avait-il pas cessé de fumer depuis longtemps ? Pourtant, un paquet à peine entamé se trouvait sur sa table, à côté d'un briquet turquoise et d'un cendrier en forme de dauphin, déjà bien rempli. Il avait sûrement oublié avoir recommencé. Souvent, par automatisme, il verrouillait la porte, se lavait les dents, sauvegardait des fichiers, payait des factures, sans en garder de réels souvenirs. La tête ailleurs.

Le traducteur était un homme sans véritable mémoire, un être usé et percé de partout. Complètement criblé. Après toutes ces années de tabagisme, fumer était une seconde nature pour lui : il s'y était probablement remis un matin, par réflexe, par oubli, ne se rappelant pas avoir un jour arrêté. C'était plausible. Il y croyait. Il avait dû entrer au dépanneur pour acheter le journal. Et puis : pouf ! Il en était ressorti avec un paquet de cigarettes et un briquet tout neuf. Ça devait sûrement s'être passé comme ça. Ou bien il en avait pris une dans le paquet de sa femme un soir où ils recevaient des amis.

Avaient-ils des amis ? Bizarrement, il ne se souvenait d'aucun. Sans doute ceux de sa femme. Des bonnes femmes et des bonshommes sans intérêt, aux contours flous, tellement pareils les uns aux autres qu'ils devenaient impossibles à différencier. Impossibles à définir.

Sa femme fumait-elle ? Comme le reste, elle était devenue une accoutumance ; le traducteur oubliait de se rendre compte de sa présence. Il lui parlait, l'embrassait, faisait bien pire encore, sans vraiment porter attention à elle. Absent.

Craignant d'en être à sa toute première crise d'amnésie, il tira une bouffée avec méfiance. Aucun malaise, pas de nausée.

La pleine forme et ce bon vieux plaisir d'inhaler de la fumée chaude.

Content d'avoir passé le test, il n'était pas rassuré pour autant. Un doute planait : s'était-il trompé sur tout ? Avec cette existence longiligne, sa droiture, sa bonne conduite, avait-il gaspillé son temps ? Dupé, pris au piège du quotidien, empêtré de cette vie morne et de sa femme autoritaire. C'en était assez. Il fallait que ça cesse. Le moment était venu de renouer avec ses petits péchés : à trente-cinq ans, il avait bien le temps de se préoccuper de sa santé. Il inhala et ordonna à sa femme de lui préparer un café irlandais.

Pas de réponse. Aucun signe. Rien ne remua dans la cuisine, personne ne vint chercher la bouteille d'alcool.

Où donc était cette femme ? Était-ce possible qu'elle ne lui refuse pas son whisky, son café, sa cigarette ? Ses petites joies. Comment avait-elle pu laisser s'accumuler toute cette paperasse sans se taper une crise de nerfs ?

Femme horrible. Monstre de femme.

D'abord le nain, puis sa femme.

Et voilà que l'auto n'était plus garée dans l'entrée.

L'intrus

Déjà de retour, réapparu, en pleine discussion avec un rondelet au teint cireux, le nain se trouvait à l'endroit même où le traducteur garait habituellement son auto.

Un clown jaune et une boule d'homme au beau milieu du stationnement. Paré d'une cape beige à carreaux et d'une casquette de détective assortie ; un peu plus grand que le livreur, mais encore trop court pour être un homme de taille normale, le nouvel arrivant – très droit, le dos cambré, la main posée sur le pommeau argenté de sa longue canne – souriait aimablement au nain, qui sautillait devant lui, frénétique, tout gesticulant.

S'agissait-il de l'homme riche du prospectus venu vérifier le travail du petit tordu ? Était-il passé s'assurer que le livreur n'avait pas tout fourré dans le caniveau pour aller jouer à la marelle ou entrer par effraction chez les gens ?

Le traducteur avait-il succombé à l'envie de téléphoner ? Qu'avait-il promis pour devenir riche ? Dans quelle galère s'était-il embarqué ? Dans quel pétrin s'était-il fourré ?

Sans réponse, démuni, vulnérable, le traducteur – telle une mouche engluée dans une toile, telle une victime de guet-apens – se débattait pour rien, n'en sortirait pas.

Qui étaient ces hommes ? Pourquoi s'arrêtaient-ils chez lui ? De quel droit se permettaient-ils d'entrer sur sa propriété sans permission, de l'espionner par la fenêtre, de lui livrer jour après jour la même cochonnerie ? Pourquoi fallait-il qu'ils prennent la place de son auto, qu'ils empêchent sa femme de se garer ?

Toutes ces questions le titillaient, lui donnaient envie de se gratter. Une envie intenable. Une démangeaison troublante, grandissante, mordante.

Que ces deux inconnus quittent les lieux ! Qu'ils s'enlèvent de chez le traducteur ! Ce n'était pas un parc municipal, encore moins un lieu de rencontre. Ne savaient-ils pas que c'était une propriété privée ? N'avaient-ils donc aucun sens moral ?

Les avaient-ils invités ? Étaient-ils ses amis, ceux qui l'avaient laissé recommencer à fumer ? Comment savoir ? Qui pourrait le lui dire ?

Pourtant, le traducteur aurait pu jurer ne jamais fréquenter les fêtes foraines ni les tavernes sombres. Ces êtres si peu communs, si irréels, venaient d'ailleurs ; ils n'étaient pas dans le domaine de la traduction, ils n'avaient rien à voir avec lui.

Encore inconscient du drame, déjà épuisé, étouffé, à deux doigts de craquer, de bouffer des têtes, le traducteur en avait assez, voulait qu'on lui rende sa solitude, sa petite paix, son monde à lui.

De nature si douce, si calme – un agneau vraiment, un ciel bleu, une eau stagnante –, il se sentait sur le point d'éclater. La colère toujours latente. Une menace grondante. Était-ce l'épuisement professionnel tant redouté par ses confrères ? Le fameux *burn-out* ?

L'envie de hurler, encore. L'envie de s'arracher les cheveux par poignées, de se frapper à coups de poing, pour attirer leur attention, les effrayer. Se crever les yeux avec les doigts, leur cracher du sang et des dents. Les faire fuir pour retrouver sa vie, pour être enfin seul dans sa tête. Pour se replier sur soi, vivre de son moi.

Trente-cinq années de santé mentale et d'un coup la folie pour une violation de propriété. Il y avait anguille sous roche. Leur présence venait éveiller quelque chose en lui. Rien de bien bon. Encore un cauchemar.

Le traducteur en savait-il plus qu'il n'acceptait de se l'avouer ? Il aurait voulu que l'auto soit à sa place et que ces hommes n'existent pas.

Il l'aperçut, le vit. Le patron du nain le dévisagea, le transperça, le balaya aux rayons X. Le deuxième du lot, l'homme-détective, l'inconnu, l'autre s'ancra en lui.

Debout à la fenêtre, le poing levé, la bouche ouverte, le traducteur sentit son visage blêmir et un frisson lui parcourir l'échine : l'homme le fixait de ses yeux en fente, complètement noirs, sans lumière, immenses derrière ses lunettes à verres grossissants.

Après la colère, la peur. Après le nain jaune, l'homme-détective. Rien à aimer, tout à craindre de cet être rempli de maléfices. Bourré de dangers, farci de malheurs.

De mauvais augure, cet homme-là possédait des dons. Une force noire. Il rappelait quelque chose au traducteur – quelque chose d'impossible à cerner – qu'il valait mieux esquiver. Plus le traducteur le regardait, plus il avait l'impression de le connaître. Plus il était terrorisé.

Sans quitter des yeux le traducteur, sans l'oublier un seul instant, l'inconnu dit un mot au livreur avant de se diriger vers la maison, tout droit vers la fenêtre.

La fatalité. La mécanique du destin s'enclenchant.

Trop tard pour se cacher sous la table, trop tard pour quoi que ce soit, l'inconnu approchait, tranquille, le sourire aux lèvres, le regard sombre.

Triomphant, le nain se tourna vers le traducteur pour lui faire une grimace, ponctuée de dents tout aussi jaunes que son petit costume rapiécé, puis s'en alla, content, clopin-clopant, ses gros souliers aplatis le faisant trébucher, embrassant le gravier avant de se relever, laissant le traducteur seul face au bourreau.

La sonnette retentit. Fait comme un rat, condamné. Sa main qui tenait la cigarette se mit à trembler.

Impossible de savoir ce qu'il avait fait de sa cigarette : le rideau aurait pu brûler que le traducteur ne l'aurait pas su. Exposé au tir ennemi, prêt à recevoir la décharge de mitraillette, paralysé par la peur, absurdement résolu à mourir, il dirigeait toute son attention vers l'autre. L'inconnu, l'assaillant. Celui qui se tenait derrière la porte. Le maître d'œuvre du drame.

Peut-être avait-il imaginé le bruit de la sonnette ? L'autre s'était simplement arrêté pour contempler la maison – ancienne mais en très bon état, petite mais coquette –, puis était reparti tout de go. Ce n'était pas impossible, cela s'était déjà vu.

L'inconnu avait-il, sans le vouloir, appuyé sur la sonnette en se penchant pour vérifier le travail de son livreur ? Sa canne avait touché le bouton. C'était sans doute ça. Absolument plausible. Et tout à fait réaliste. Il attendait là pour s'excuser, ne voulait pas déranger. « Excusez-moi, pardon, monsieur, je m'en vais », dirait-il, confus. Une banale maladresse. Un faux mouvement.

Était-il un obsédé de la sonnette ? Un expert du carillon ?

Rien à faire, le traducteur avait beau chercher des raisons crédibles et anodines pour s'expliquer cette visite, il n'arrivait à se raccrocher à aucune. Le traducteur l'aurait juré. Il connaissait cet homme qui, pour un motif mystérieux, pour une raison noire, lui voulait du mal. Victime aléatoire ou choisie ? Peu importe, le petit détective cherchait vengeance. Il en était sûr. C'était sa seule certitude. Le pari gagnant. Il allait souffrir. Cette visite n'annonçait rien de bon. À en croire son regard lugubre, l'inconnu venait le cambrioler et le poignarder. Le dépouiller de tout. Lui voler ses illusions, remettre les pendules à l'heure. Briser la grève. Il était là pour le détruire, le torturer de corps et d'esprit jusqu'à la limite de sa résistance. Jusqu'à la capitulation.

L'homme venait le faire avouer. Mais avouer quoi ?

De nouveau, le bruit de la sonnette prit d'assaut la maison, vint rappeler au traducteur les exercices d'évacuation de son enfance : l'impression tenace d'être séquestré, sans recours, sous la menace d'un danger terrible et inévitable.

Totalement perdu. Prisonnier.

* * *

Peut-être désirait-il une rançon pour l'enlèvement de sa femme et de sa voiture ? Si c'était ça, le traducteur allait récupérer l'auto et payer l'autre pour qu'il garde sa femme. Le pauvre ne tiendrait pas longtemps : elle l'aurait à l'usure, à force de jacasser et de se plaindre de tout.

Ou alors il verrait sa femme apparaître devant la maison. Le visage pourpre, le regard fou, la bouche écumante, elle foncerait sur l'intrus pour le chasser à grands coups de pelle, lui donnerait la raclée de sa vie, lui briserait les os en mille miettes. Couvert de sang, le nez cassé, l'orbite enfoncée, le petit envahisseur saurait de quoi cette femme était capable, n'oserait plus jamais passer par là.

En définitive, tout ça était la faute de sa femme. Femme de guerres et de massacres, plaie ouverte, immondices. Il fallait qu'elle rentre maintenant, qu'elle fasse cesser le cauchemar, lui redonne sa vie d'avant. Pourquoi avait-il fallu qu'elle déplace l'auto ? Pourquoi cette soudaine envie de sortir ?

La sonnette retentit une troisième, puis une quatrième fois. Dehors, l'homme-détective s'impatientait.

Comme une bête devant un prédateur, comme un enfant caché sous les draps, le traducteur se croyait en sécurité s'il s'abstenait de bouger. Le poing toujours levé, les yeux grands ouverts, il faisait le mort mais, contrairement au gamin peureux, ne pouvait espérer que le jour se lève pour dissiper les fantômes.

« Il finira par partir », se répétait-il sans cesse, formant les mots sur ses lèvres. L'inconnu s'en irait, finirait par partir. Le traducteur ne voulait rien acheter, ne voulait pas être riche. Il n'avait rien fait au livreur jaune ; seulement un petit signe pour qu'il enlève ses pieds des vivaces, voilà tout. N'était-il pas l'agneau, le ciel bleu, l'eau stagnante ? L'innocente victime. Le traducteur ne méritait pas qu'on l'envahisse ainsi.

L'autre s'en irait, finirait bien par partir. Croyant le traducteur sous la douche, sourd, mort ou au téléphone, l'homme derrière la porte rebrousserait chemin, renoncerait, abandonnerait l'idée d'entrer.

Au bord de la crise cardiaque, le traducteur refusait d'écouter la petite voix en son for intérieur – la voix de la raison probablement, son narrateur, sa tête pensante, ce qui lui restait de lucidité – qui raillait sa lâcheté, méprisait sa léthargie.

Ridicule ! Risible ! Exagérément terrifié par un homme qui sonnait à la porte. Un simple vendeur. Un témoin de Jéhovah. Un promeneur égaré.

Trop longtemps enfermé sans voir personne, trop longtemps replié sur lui-même, il croyait toutes sortes d'idioties, il sombrait, s'anéantissait.

* * *

Tremblant et mouillé de sueur, le traducteur baissa enfin son bras engourdi. Il fallait en finir. Arrêter le massacre, empêcher le drame d'aller trop loin, d'atteindre son but macabre. Tranquillement, avec peine, comme malade ou blessé, il se glissa sous la table de travail, là où – hors de vue, bien à l'abri, le visage fourré entre les jambes, les bras autour de lui – il combattit l'envie de pleurer. Que lui arrivait-il donc ? Il n'était pas dans son assiette. Lamentable, pathétique, indigne de ce qu'il avait un jour cru être. Une mauviette. Un détraqué.

Souffrait-il d'hallucination ? Sa femme avait-elle enfin réussi à l'empoisonner ? La maladie du hamburger !

Il était bel et bien surmené. Un *burn-out* évident, inévitable. Le syndrome de la fatigue chronique.

Le petit détective n'était pas là pour l'égorger, ne voulait probablement rien de bien particulier : utiliser la salle de bains, collecter la dîme, lui offrir des billets pour une œuvre de charité. Ramoner sa cheminée, aiguiser ses couteaux, connaître ses allégeances politiques. Voilà que le traducteur, un homme mature, se cachait sous une table parce qu'un inconnu avait sonné à la porte un après-midi où il était seul à la maison. « Un cas de psychiatrie », aurait dit sa femme, hautaine.

Femme de grand mépris, vipéridé, sarcophage.

C'était plus fort que lui : le traducteur avait peur. Tellement peur. Il ne pouvait rien y faire : l'intrus ne lui rappelait rien de bon, lui donnait des frissons d'horreur. L'homme derrière la porte était annonciateur de mort. Un scarabée, un rapace flairant une odeur de putréfié.

Toujours le silence, puis trois petits coups secs, à peine perceptibles. Le traducteur se recroquevilla encore plus sous la table, sa volonté pétrifiée, son corps secoué, les yeux fixés au sol, à l'écoute.

L'inconnu ne partirait pas.

* * *

Était-ce aujourd'hui le jour de sa mort ? Une journée ordinaire du mois de mai, mi-ensoleillée, mi-nuageuse, sans record de chaleur ni de froid, passée totalement inaperçue. Une journée consacrée à traduire un texte sans fin. Un jour de solitude et d'ennui qui se terminerait en même temps que sa vie, sur le coup de sept heures, dans une mare de sang sur un tapis beige.

Une vie perdue à n'avoir rien fait. Rien de bien significatif. Une vie gaspillée à vivre comme les autres, à penser comme les autres, à acheter les mêmes choses que les autres. La vie d'un autre. Une vie de piscine hors terre, de barbecue sur la terrasse et de cinéma maison. Une longue suite de journées occupées par un travail sans intérêt ; des soirs et des week-ends voués à l'écoute, l'une après l'autre, heure après heure, d'émissions de télévision débiles, au contact desquelles le traducteur n'avait cessé de s'abrutir et de se ramollir. Jusqu'à en devenir sans-dessein. L'intelligence lessivée. Les souvenirs effacés. Une coquille vide.

Le traducteur n'avait pas saisi sa chance, avait été paresseux : constat bien vain, bien creux, bien dérisoire pour quelqu'un dont le sablier finissait de s'écouler. Un minuscule sablier pour un homme de près de deux mètres.

Sa gorge se serra.

Ça y était. C'était le moment, celui tant redouté dont il s'était souvent demandé quand il surviendrait. L'heure, le jour, le mois, l'année.

Tous ces 27 mai passés inaperçus.

Arrivé au bout de tout, le traducteur ne pouvait y croire, refusait de s'y résoudre. Tout était allé si vite, avait été si court, si sec, si inutile. Impossible de mourir si jeune. Depuis quand la mort n'était-elle plus réservée aux inconnus des faits divers ?

S'il avait su ; s'il avait pu deviner.

Trop tard maintenant. Trop tard. Un cas classique de vie gâchée. Pourvu d'une bonne dose de talent et sans vraie laideur, le traducteur n'avait pas de prétexte, aucune excuse. Il était son propre traître, sa seule victime.

Cette femme, sa femme, qu'elle l'ait vraiment aimé ou qu'elle ait seulement cru l'avoir aimé pour un temps, regretterait de l'avoir laissé seul le jour de sa mort. Se réjouirait-elle secrètement d'avoir évité ce qui aurait tout aussi bien pu être son propre assassinat ? Heureuse de s'être débarrassée du mari encombrant ? Le traducteur n'arrivait pas à se rappeler quels sentiments elle entretenait à son égard. À en sentir la déchirure qu'il avait au cœur, cette femme l'avait trahi, lui avait fait quelque chose de terrible, d'absolument inhumain.

Femme sans âme. Femme pleine de poison. Mauvais présage, purulence, vomissure.

Il entendit le bruit de la poignée, puis le grincement familier de la porte d'entrée. Des pas pesants et le cognement d'une canne.

Avait-elle payé l'inconnu pour le liquider ? Tout cela faisait-il partie d'un plan machiavélique pour attenter à ses jours : le nain-espion, sa femme partie, l'inconnu assassin ? N'aurait-il pas été plus simple de le quitter ? Il ne l'aurait pas retenue, aurait même été content qu'elle ait plus de courage que lui.

Et pourquoi l'aurait-elle voulu mort ? Le détestait-elle autant qu'il la détestait, elle ?

Comment en étaient-ils arrivés là ?

Le traducteur traqué restait sans réponse. Sans piste et sans mémoire.

Ni assassinat, ni cataclysme, ni fin du monde. Rien. Le calme plat, le grand silence.

Les yeux fermés, les dents serrées, le souffle court, le traducteur se demanda s'il avait rêvé : son travail ayant eu raison de lui, il avait dû se mettre à ronfler, le bout du nez sur la barre d'espacement du clavier, la langue entre deux touches. Sa femme était revenue. Les mains encombrées de paquets, elle avait sonné et sonné, encore et encore, quatre fois. Elle avait cogné, la pauvre, sûrement fâchée, exaspérée comme toujours, les bras faiblissants, puis avait fini par ouvrir la porte elle-même.

Rien de plus banal, de plus simple, de plus sain : la réalité s'était infiltrée dans l'inconscient perturbé du traducteur pour produire cet épisode à la fois incongru et terrifiant. Une chimère, un rêve, rien de vrai. De la fantaisie. Mais alors, que faisait-il caché sous la table ?

Deux minuscules bottillons de caoutchouc rouge et de petites jambes dodues, vêtues d'un pantalon de laine beige à carreaux. Le détective, l'intrus, le bourreau était assis dans le fauteuil préféré du traducteur. Mieux valait refermer les yeux, attendre un peu, laisser au cauchemar ou à la démence le temps de se dissiper.

* * *

Un toussotement dans la pièce, le craquement du fauteuil.

Toujours là. Le patron du livreur. En chair et en os. La main sur la canne, installé droit comme une barre dans le fauteuil à grosses fleurs.

« Allons, sortez de là, mon cher », ordonna-t-il, amusé, d'une voix claire et monocorde, presque féminine. « Nous ne disposons pas de beaucoup de temps. Des gens attendent, vous ne semblez pas vous en rendre compte. »

L'omniprésence de l'étrange. Cette vie ne semblait plus être la sienne. Aspiré par l'insolite, s'enfonçant toujours un peu plus, le traducteur n'avait plus la force de résister, de croire à autre chose – mais assez tout de même pour vouloir que tout cesse.

Il avait besoin d'être seul. Besoin de se refaire. De réfléchir. Ses idées étaient confuses et ses souvenirs perdus dans une brume épaisse et boueuse. Une gélatine. Une mélasse. Épuisé, ni mort ni vivant, le traducteur avait besoin de repos, de penser en paix, n'avait aucune envie d'être harcelé par ce bonhomme.

Il fallait en finir avec ce jeu de cache-cache, avec cette guerre des nerfs inutile. Le traducteur allait sortir de sous la table : de toute façon, il aurait de meilleures chances de survie dégagé de là. Il pourrait agripper une paire de ciseaux ou un crayon pointu. Sa règle de métal. Le traducteur n'était pas très athlétique, manquait un peu de souffle, mais parviendrait sans doute à prendre l'intrus de vitesse.

Il fallait bien finir par en finir avec ce visiteur incongru.

* * *

Un visage coupé en deux, mû par des forces contraires : des yeux de tueur et un sourire gentil.

Des yeux. Des yeux de bêtes sanguinaires. De Nosferatu. Deux larges fentes noires, terribles à regarder. Des aimants. Des sables mouvants. Comme le trou d'un puits : éteints, opaques, à sens unique. Des aspirateurs d'âme. Des gouffres profonds.

Homme sans âge, comme plâtré ou embaumé, l'intrus avait posé son chapeau de détective sur la table de lecture, laissant paraître son crâne chauve et luisant, tout aussi pâle et cireux que son visage figé.

Assis dans le fauteuil d'en face, impuissant, le traducteur, tel un chien penaud, ne parvenait pas à détourner le regard, attaché au maître par une force obscure, impérieuse, qui l'obligeait à relever les yeux à la seconde même où il arrivait à les baisser. Soumis. Dominé. Pris en otage.

* * *

Un duel de regards. Une conversation sans paroles. Un rapport de force.

Un temps fou. L'éternité à peu de chose près.

Comment accélérer la visite ? Comment y couper court ? Condamné à attendre, désemparé, affaibli, le traducteur ne savait pas ce que l'autre voulait, ne savait pas ce qu'il faisait chez lui. Venait-il l'assassiner à une heure précise ? Lui faire avouer une faute impardonnable ? Attendait-il le retour de sa femme ?

Femme volage. Femme d'oubli.

Le traducteur connaissait cet homme. Son teint cireux et son visage rond. Son costume de Sherlock Holmes et ses épaisses lunettes. Ses bottes d'enfant et sa canne trop longue. Qui était-il ? Un voisin ou un passant ? Un ami ? Un client ? Un frère ? Un ennemi ?

L'homme beige à carreaux. Le messager de l'étrange. Celui qui savait tout. Le fantôme dans la tête du traducteur. Le monstre aux yeux accusateurs.

La tête lourde – comme taillée dans le roc, impossible à garder droite, dodelinante –, le traducteur n'avait plus de souvenirs, sinon quelques-uns, épars. Les mauvais. Les plus insignifiants du lot. Entre ses yeux et sa boîte crânienne se dressait un mur de béton impossible à abattre, une enceinte bâtie autour d'une mémoire retranchée, décidée à ne pas collaborer.

Ce regard froid, pourtant si familier. Fallait-il faire semblant de connaître l'autre ? Que fallait-il faire ou dire ? Sa vie se résumait à l'instant présent, encombrée de questions.

« Votre femme n'est pas près de revenir, rendez-vous à l'évidence », lui annonça tranquillement l'inconnu, un sourire dans la voix.

Le traducteur ne savait plus si sa femme l'avait quitté ou si elle était sortie acheter un pain. Rien n'indiquait qu'elle ne rentrerait pas dans une minute. Il ne se rappelait pas qu'elle l'ait prévenu de son départ ou qu'elle lui ait dit quoi que ce soit. En fait, il se souvenait à peine de son visage anguleux et de ses boucles brunes. Alors comment aurait-il pu se rendre à l'évidence ?

Se pouvait-il que le traducteur soit vraiment au courant ? Connaissait-il toute leur histoire ? La vérité se trouvait-elle coulée dans le béton de ses souvenirs, fondue au noir ? Préférait-il ne pas savoir ? Oublier.

Confortablement assis dans le fauteuil, l'homme sortit de sa poche un cigare qu'il alluma sans quitter le traducteur des yeux. Il tira une bouffée, puis laissa un sourire grandir sur son visage mort.

S'agissait-il de l'amant de sa femme ?

Au fond de lui, le traducteur avait toujours su qu'elle en avait un. Elle avait eu beau nier, l'accuser d'être jaloux, voilà que son Roméo se présentait aujourd'hui pour officialiser la rupture entre elle et lui.

Femme de luxure et de mensonge. Traîtresse, putain.

Attendait-elle chez l'intrus en ce moment ? Dans sa voiture, au coin de la rue, en compagnie du nain jaune ? Le traducteur importunait-il sa femme et son amant en leur téléphonant en pleine nuit, suppliant et pleurnicheur, complètement soûl, lamentable, rageur ? Avait-il proféré des menaces de mort ? L'inconnu venait l'avertir qu'elle ne reviendrait jamais. Cet homme se présentait comme un signe.

Un amant pas du tout comme il l'aurait imaginé. Pas très latin ni charmeur. Pas aussi bien que lui. La laideur de cet homme était un affront à la virilité du traducteur. Sa femme le faisait cocu avec une petite boule chauve à la voix de fausset et aux mains d'enfant, totalement dépourvu du regard charnel qu'ont habituellement les amants.

Le traducteur ne comprenait décidément rien aux femmes. Bougon et taciturne, il n'était pas vraiment beau, s'était laissé vieillir et grossir, négligeait souvent de se raser ou de faire plaisir à sa femme, mais valait encore mieux que ce bonhomme. Sa femme était un peu dérangée, névrosée de l'avis de certains, mais tout de même pas assez fêlée pour le quitter pour cet excentrique.

* * *

Un grand rire machiavélique. Un rire de sorcière, de bandit et de maison de poupée. Sans fin, cruel, rempli de violence et tout à la fois exagérément joyeux, aigu et résonnant comme celui d'une jeune fille dans un couloir de polyvalente. Complètement faux, morbide, surnaturel. Un rire comme le visage de l'intrus : en deux temps, à cheval sur deux mondes.

La tête renversée, les larmes aux yeux, la peau presque rose, l'inconnu rit longtemps, sans raison apparente, puis cessa d'un coup sec : un instant il riait à gorge déployée, l'instant d'après son regard assassin s'abattait sur son hôte terrorisé, l'agrippait tout entier, le paralysait sur son siège, tentait de l'étouffer.

« Vous êtes bien amusant, mon cher ami », constata l'inconnu, en exhibant une dent en or.

Encore, toujours, plus. De l'indéchiffrable, du lugubre. Le triomphe de l'étrange.

En quoi le traducteur pouvait-il être si divertissant ? Tout se passait à l'intérieur ; il n'y avait aucune vie hors de lui. Accroché aux parois du gouffre, suspendu dans le vide, à la fois dans l'ombre et dans la lumière, chez les anges et chez les arbres, face aux flammes et sous le bleu, le traducteur faisait le mort, ne disait rien : l'autre le voyait blême et mouillé de sueur, quelque peu fébrile et le regard perdu, mais ne pouvait pas deviner ses inquiétudes et sa terreur, sa colère et sa lassitude. Son fourmillement.

L'intrus ne profitait pas du spectacle, ne savait rien.

Tout se jouait à l'intérieur.

L'intrus jeta un coup d'œil aux prospectus sur la table du salon, les étala du bout de sa canne.

L'heure était venue. Il fallait en parler.

« Le rameur numéro quatre est un homme assez… Disons… Comment dire ? Particulier, gloussa-t-il, supérieur. Il vous promet des richesses, mais voudrait vous prendre ce que vous avez de plus précieux. »

Un rameur… Le numéro quatre…

L'inconnu testait le traducteur, le jaugeait, semblait chercher en lui une lueur de compréhension, mais se butait à un regard vide, coupé de la lumière par le mur gris d'une mémoire en révolte. Le visage glacé, sans expression, l'homme-détective persévérait pourtant, persistait, disait ce qu'il devait dire. Tout avait été pensé, rien n'appartenait au hasard.

« Il n'est pas bien méchant, mais ne vous laissez pas berner par son offre. Il ne possède aucune véritable richesse, n'a même pas de nom. Il passe son temps au bord de la voie ferrée à ramasser de la pyrite qu'il croit être de l'or. Un pauvre fou, vraiment. »

Le traducteur avait-il affaire à la police du prospectus, à un agent de la protection des consommateurs ? Qui était cet homme ? À quoi rimait cette mascarade ? Il était question d'un rameur et de fausses richesses. Les gens semblaient costumés.

Le délire.

Parachuté au milieu de la vie d'un autre, le traducteur n'avait plus de repères, plus de logique.

« Vous êtes le rameur numéro huit. Le départ est pour bientôt. Voici le contrat. »

Des rameurs à numéro. Le quatre, le huit.

Ce monde n'en était plus vraiment un.

L'inconnu tira une feuille de papier de l'intérieur de sa veste et la déposa sur les prospectus du nain jaune.

« Lisez-le et signez-le quand vous pourrez ; le plus tôt sera le mieux », lui dit-il, à la manière d'un homme d'affaires satisfait d'un marché conclu. « Je passais simplement vous saluer. Je reviendrai au moment convenu. D'ici là, profitez du temps qui vous est offert et apprenez à connaître vos compagnons de voyage. »

La mort comme un début

Épargné, ressuscité, en sursis, le traducteur devait reprendre la vie où il l'avait laissée, se remettre à la tâche, oublier. Il devait cesser de se poser autant de questions, arrêter de remuer tout cela. Continuer avec l'existence, faire face au destin. Traduire enfin ce texte pour être payé, avoir la paix, écouter son émission favorite. Après toutes ces émotions, il avait besoin de rires en boîte et de dénouements prévisibles.

Retourner d'où il venait, redevenir ce qu'il était. Retrouver sa femme et ses textes. Sa routine sans faille, son petit quotidien.

L'absence de tout... Le vide complet... Sa vie comme un trou noir... Fallait-il vraiment revenir à cela ? Ne pouvait-il pas jouer un autre rôle ? Renaître au grand jour, tout réinventer, refaire le passé. Ne plus être si faible, si las. Si ordinaire, si aride, si enfoui. Être autre chose que *le* traducteur.

Fatigué de la bienséance, des bonnes manières, le traducteur nostalgique lutta contre l'envie de s'allumer une autre cigarette. Trop de choses mystérieuses, rien d'assez normal : pour dissiper l'aura de folie qui régnait, pour conjurer l'étrange, il n'avait d'autre choix que de reprendre la vie telle qu'il s'en souvenait, d'arrêter de fabuler et de rêver en couleurs.

Il fallait agir comme d'habitude, ignorer les incongruités. Traduire. Être lui, dans le texte d'un autre. Puis, s'effacer. Il recommencerait sa vie demain, bien reposé, prêt à tout, endurci. Tout frais et guilleret. Sa vie changerait demain. D'ici là, il s'acquitterait de ses tâches, réglerait ses affaires, s'arrangerait pour ne rien bousculer de crainte d'empirer les choses.

* * *

Bien décidé, ragaillardi, plein d'espoir, le traducteur secoua doucement la souris pour raviver l'écran de son ordinateur et ouvrit le dictionnaire sur ses genoux, cherchant à croire qu'il travaillait déjà. Assez de temps perdu, il reprendrait le texte du début et procéderait logiquement, de la première à la dernière page, du premier au dernier paragraphe, de gauche à droite, de haut en bas, sans jeu ni poésie. Droit au but et avec le sourire.

La vraie vie attendrait au lendemain.

* * *

L'écran s'illumina : une page blanche apparut. Disparue, la traduction, envolée, jamais vue. Plus rien, excepté le nom du traducteur en très petits caractères et le curseur clignotant. Un écran désespérément vide, une absence de tout sauf un nom. Aucun signe du reste. Qu'un vague souvenir.

Bizarre ! Encore du bizarre. Un bizarre sans fin, épais, tortueux. Un cul-de-sac. Un guet-apens. Le labyrinthe du Minotaure.

Le traducteur ne se rappelait pas avoir fermé son document, ne se rappelait pas en avoir ouvert un nouveau. Avait-il fait tout cela sans s'en rendre compte ? Un autre de ses automatismes ?

Ce n'était pas impossible, mais… Quelque chose d'étrange subsistait.

Décidé à ne pas se noyer – agité, gigotant, frétillant comme un poisson hors de l'eau –, le traducteur ne se laisserait pas abattre. Il refusait le découragement, luttait contre l'envahissement, l'autre monde, la folie. Il fallait que tout soit normal, comme avant, comme la veille, comme du temps de sa femme. Toujours et encore sur le point de perdre la boule, de disjoncter pour de bon, il respira profondément, se redressa sur sa chaise, tenta de se ressaisir. Barrer la route à la folie devenant une réalité imminente. Une perspective d'avenir. Un emploi à plein temps. Elle approchait au galop, lui emplissait déjà la tête de hennissements et de coups de sabot.

Il fallait que tout soit normal.

Il fallait, il le fallait tellement.

Le traducteur ouvrit le répertoire de documents ; ni texte anglais ni texte français, aucune trace de son travail.

Il fallait. Il le fallait pourtant.

À quoi lui aurait-il servi de survivre à l'intrus si c'était pour sombrer dans la folie ? Perdre le corps ou perdre l'esprit ? Mourir de l'un ou mourir de l'autre ?

N'aurait-il jamais l'occasion de devenir autre chose ?

Il fallait, il le fallait tellement.

Confiant, optimiste, souriant bêtement, il se dit qu'il y avait une explication logique, un sens, un but à tout cela. Le traducteur se passa la main au front, se frotta les paupières. Périmé, perdu, pénitent, il aurait tant eu besoin de croire, de faire confiance au divin. Accepter le karma, la fatalité, ce qui lui était imposé. Il aurait eu besoin d'un peu de religion. S'abandonner à l'être supérieur, se laisser guider. Il aurait voulu supplier quelqu'un d'autre que sa femme – femme fatale et insidieuse –, être racheté par une autre force.

La recherche de dossier ne donna aucun résultat, ne lui offrit aucune libération, ne fit pas cesser le malheur. Rien, comme si cette traduction n'avait jamais existé. Que la page blanche devant lui, le curseur clignotant et son nom en petits caractères.

Encore un mystère. La fin de sa quiétude, la suite de ce qui était en marche.

Accablé et nerveux, incapable de voir plus loin, incapable de ne pas croire au désastre, le traducteur se tortilla sur sa chaise, se repassa la main au front, un peu plus humide déjà. Il allait perdre son emploi, se faire engueuler par le client. On le bombarderait de cailloux, d'injures, de fruits pourris, on lui fracasserait le crâne à coups de poing ou de manche à balai. On le ferait payer, et il paierait. Il ne s'en sortirait pas ainsi, ne pourrait plus jamais dormir tranquille.

Les gens se souviendraient.

Peut-être aurait-il dû se laisser tuer par l'intrus ? Mourir quand l'occasion lui avait été offerte. Pour éviter la honte, ne pas en subir les conséquences.

Le traducteur exagérait encore, s'énervait pour des riens. Son texte se trouvait sans doute quelque part. Il y avait certainement une copie de sauvegarde sur papier, ou enregistrée sur une disquette. Il exagérait encore, s'énervait pour des riens.

La folie, la folie galopante. Le bruit des sabots dans sa tête. Les tintements de cloche. La folie… la folie…

L'épuisement. La lassitude. Vouloir que tout cesse. Tout abandonner, lâcher prise, laisser faire.

Il se massa les tempes. Encore un obstacle, un illogisme, une preuve de ce qui n'allait pas. Plus rien comme avant. Jamais de repos. Jamais d'accalmie. Une suite de mystères. Une parade ininterrompue de problèmes, un carrousel d'énigmes.

Paniqué, désespéré, fataliste, il ouvrit sa boîte de messagerie électronique sans se souvenir du nom du client. Qu'importe, la boîte était complètement vide, totalement vide, alors qu'il ne la vidait jamais.

La rébellion de son ordinateur. La fin de tout. De sa carrière, de sa femme, de son train-train quotidien. L'étrange de retour, qui n'était sans doute jamais parti, qui rôdait dans sa tête, qui avait continué à s'insinuer chez lui. À tout remplacer dans sa vie.

Le traducteur farfouilla nerveusement dans la paperasse qui recouvrait son bureau à la recherche des documents papier et des disquettes. Une fois : en jetant tout par terre. Deux fois : en faisant des piles. Trois fois : en lisant tous les documents, en consultant toutes les disquettes.

Encore, encore. Toujours, toujours. Jamais de répit, jamais. Pourquoi la folie à cette étape-ci de sa vie ? Pourquoi la folie à trente-cinq ans, un 27 mai ? Ce foutu 27 mai !

Il avait pourtant travaillé à ce texte, l'avait réellement traduit : par-ci, par-là, au tiers ou au cinquième (sa technique de traduction aléatoire ne lui permettait pas d'estimation précise), un peu n'importe où, mais tout de même traduit.

Un mauvais rêve ? Un atroce cauchemar ? L'éther ? Les sédatifs ? La drogue administrée par sa femme ? Femme sanguinaire, walkyrie, sorcière. Mante religieuse, cyclope, crotale.

Il fit voler ce qui jonchait la table du salon, fouilla la corbeille à papier. La poubelle de la cuisine. Toutes les poubelles de la maison. Le four. Le réfrigérateur. Le dessous des fauteuils. Le dessous du lit. Le foyer. La fournaise. Il chercha partout. Sans logique – puisqu'elle n'existait plus –, sans discernement ni impossible. Derrière les cadres et dans les pots de fleurs. Dans les dentelles de sa femme et la litière du chat. Parmi les épices et les vêtements à laver. Partout.

Aucune trace des documents.

S'agissait-il d'un coup de l'intrus ? De la suite du plan machiavélique ? Pourquoi ? Pourquoi s'acharner ainsi sur lui ? Par plaisir ou par vengeance ? Pour le rendre fou, le faire crier ? En lui retirant son gagne-pain, l'intrus croyait-il convaincre le traducteur de s'embarquer pour ramer ?

Était-il un concurrent de son client ? Un traducteur sans travail ? Un obsédé politique ? Un libérateur ? Un subversif ?

Sous ses abords rébarbatifs et assommants, ce texte cachait-il un secret d'État ? Un message terroriste ? Une menace à la sécurité nationale ? Le prenait-on pour un mouchard ? Un témoin oculaire de trop ?

La tête entre les mains, le traducteur avait beau essayer de se convaincre qu'il n'y pouvait rien, qu'il valait mieux abandonner, il était affreusement inquiet. Défait. Son texte de trente-deux pages avait disparu sans laisser de trace. Des heures de travail envolées en poussière.

Et sa femme qui ne revenait plus. Femme d'insouciance et de caprices – succube, verrue –, tas d'égoïsme et de chair moite. Pourquoi refusait-elle tout à coup d'assumer sa part du couple ? Pourquoi n'était-elle pas là pour lui masser le cou, annoncer au client l'atroce maladie de son époux, sa mort prochaine, victime de la peste bubonique ?

* * *

Le traducteur abdiqua, s'alluma une cigarette et se laissa choir dans le fauteuil à grosses fleurs. Il prit le temps de faire circuler la fumée en lui, de souffler des cercles gris, d'aiguiser la cendre sur le bord du cendrier, puis de la laisser grandir jusqu'à ce qu'elle s'effondre sur son pantalon.

L'impossible prenait le dessus. Était-ce la fin qui continuait d'avancer ? Le 27 mai persistait-il à être un jour fatidique ?

Le contrat tombé sous la table du salon.

À l'instar des prospectus du nain, le texte avait été dactylographié sur une feuille volante, mais cette fois-ci une bordure fleurie au feutre noir remplaçait le zigzag au stylo.

Le même manque de professionnalisme. Le même groupe d'amateurs décidés à envahir le monde de sa paperasse. Un contrat illisible. Des caractères si minuscules, si gribouillés qu'il fallut une loupe au traducteur pour arriver à distinguer quelque chose qui ressemble à des mots. Ni français ni anglais : du charabia, du sanskrit. Un contrat rempli de « o » scandinaves.

* * *

Encore, encore, toujours, toujours. La suite de l'enfoncement. Un puits sans fond. Un tunnel qui va rétrécissant. Jamais d'espoir de voir la fin.

D'abord le nain et les prospectus, puis sa femme, l'inconnu et le texte perdu. Maintenant le contrat.

Le traducteur se frottait à quelque chose d'anormal. Le surnaturel ne le laisserait pas tranquille, s'accrochait à lui, lui collait à la peau. Une odeur de putois. Un nid de poux. Une sangsue.

Qu'avait-il donc commis de si terrible pour mériter pareil châtiment ? Cerné de partout – un mur en dedans, une purée de pois en dehors –, le traducteur perdait pied, se retrouvait d'un coup piégé, paralysé, incapable de se déplacer, de se mouvoir, incapable de se frayer un chemin, cloué sur place, ligoté.

Il s'enfonçait tranquillement, avalé par l'âme noire de cet homme qui reviendrait au moment convenu pour l'engloutir dans sa dimension onirique.

Après une attente si longue et vaine, si enracinée qu'elle se confondait à sa vie, le traducteur posa les doigts sur le clavier, prêt à être emporté par l'inspiration, prêt pour le Goncourt du premier essai, du premier jet.

Dix pages par jour et il publierait dans un mois.

S'il voulait être autre chose avant de mourir, s'il voulait maîtriser son histoire, la forcer à changer, il n'avait plus de temps à perdre, plus de prétexte, plus d'excuse pour faire oublier sa paresse, sa lâcheté. Inadapté à la réalité, le traducteur avait besoin de l'écriture pour se défaire de ses hantises, se soulager, extraire et faire gicler le poison.

Laisser vivre ce qu'il avait en lui.

* * *

Les yeux fermés, le traducteur ne fut toutefois traversé d'aucun éclair de génie, ne fut transporté nulle part, resta bêtement assis à l'ordinateur, sans rien à écrire, aux prises avec un problème imprévu.

Pourtant, il avait sûrement du talent. Ses projets de vie reposaient là-dessus. Tout avait été prévu, calculé en ce sens. Le traducteur était écrivain.

Il fallait commencer, ça viendrait en tapant.

Rempli de doutes, inquiet, obstinément accroché à son rêve, à son seul espoir dans la vie, le traducteur écrivit « Je », mais l'effaça aussitôt. Trop banal. Que ferait donc ce « je » ? Il n'avait rien à faire faire à un « je », ne savait même pas de qui il s'agissait : était-ce un jeune « je » ou un « je » finissant, un « je » enjoué ou un « je » conquérant, un « je » grégaire ou solitaire et sans complément ?

Était-il ce « je », désœuvré et sans personnalité ?

L'esprit bloqué, trop nerveux pour réfléchir, pour se laisser guider, le traducteur écrivit « Il était une fois ». Le curseur recula sur-le-champ. Ce n'était guère mieux. Sans sérieux, plutôt enfantin. De l'archifait. Un roman-fleuve, un récit dramatique, une œuvre de mort et de déchirement ne pouvait commencer ainsi, cela aurait été de la fausse représentation, de la tromperie. Un motif à procès.

Au bord du gouffre, à deux doigts de la folie, mais terrifié par le vide qui s'annonçait s'il laissait tomber l'idée d'être écrivain, le traducteur envisagea de commencer par le titre, convaincu que le titre ferait l'histoire, que le titre déciderait de tout.

Aucun titre.

Il pensa rédiger un plan, mais changea d'avis : trop long, trop compliqué, trop « petite école ». Pas assez artiste. De toute façon, il fallait commencer maintenant pour être publié au plus vite, pour connaître la gloire avant la fin de l'été.

Un roman en trente jours, la consécration pour ses trente-six ans. Lui, et la terre entière ébahie, toutes les femmes du monde à ses pieds, intriguées par son génie.

À la recherche d'un épisode de son passé à relater, de quelque chose qui puisse leur donner à réfléchir, le traducteur fut forcé de constater qu'il n'avait rien à raconter, comme si, de l'enfance à la vie adulte, il n'avait jamais existé. Sa vie avait été extrêmement morne : au-delà de toute « mornitude » connue. Sa biographie aurait tenu en trois pages et serait tout sauf palpitante.

Rien dans sa vie. L'ennui total, la grande sécheresse. Détaché de lui-même, absent de sa propre existence, le traducteur avait rencontré sa femme, s'était acheté une télé, s'était conformé aux règles de sa profession. Dans l'ordre ou le désordre : une femme, une télé, un métier. La sainte trinité. La trousse de base. Le forfait tout compris. Une maison, une piscine, une auto. L'asphaltage de l'entrée de voiture. La porte de garage électrique. Le nouveau bardeau de la toiture. Le nettoyage annuel des gouttières. L'aménagement paysager. Le grand cabanon. En bonus : les sempiternelles engueulades avec sa femme.

Y avait-il quelque chose à dire sur son idylle avec l'autre femme, celle d'avant la sienne ? Plutôt belle. Certains bons moments. Et avec le temps, la venue des problèmes. Rien de bien nouveau sous le soleil. Du mélodrame, du déjà-vu. Il suffisait d'y songer pour verser dans le cliché.

Décidément, ni rameur ni écrivain, le traducteur était ce qu'il était, rien de plus, prisonnier de sa caste.

* * *

Plus de quinze ans à rêver du jour de la mise en branle d'un chef-d'œuvre et voilà que le traducteur était stérile : il s'était laissé porter par le quotidien avec pour résultat qu'il n'avait rien à coucher sur papier. Asocial, absorbé, égoïste, il s'était désintéressé des autres et était, lui semblait-il, dépourvu d'imagination.

Auteur mort-né, vache sans lait, vieux mulet, le traducteur n'avait pas cultivé son talent, l'avait laissé sécher en croûte, entraîné par sa femme dans les platitudes de la vie. Endoctriné, trahi, berné par elle, il s'était empâté de corps et d'esprit. Cette femme – femme gourou, sectatrice – l'avait cajolé jusqu'à ce qu'il se vide de sa fougue et oublie ses rêves, jusqu'à ce qu'il s'aplatisse pour de bon.

De temps à autre, surtout au début, le traducteur s'était presque révolté, s'était promis d'écrire à chaque moment libre, de se défoncer, de se brûler les yeux à l'écran toutes les nuits, mais voilà qu'entre les émissions de variétés, les repas trop longs et les tâches ménagères, il avait manqué de temps, de force et de courage. Le traducteur était trop fatigué pour ne pas dormir dès minuit. Comment ne pas en vouloir à la vie pour ça ? Comment ne pas en vouloir à sa femme ?

Il se surprenait souvent à espérer la mort de sa femme. Sa mort était la clé, la solution magique qui lui permettrait de se retrouver, d'être celui qu'il avait toujours voulu être. Le « je » d'un bon roman.

Une mort comme début. Son début. Le début de tout pour lui.

Porter sa femme en terre… Combien de fois avait-il joué la scène derrière ses paupières closes ? Combien de fois avait-il souhaité des maladies incurables et fulgurantes, des accidents de voiture et des morts calcinées à la femme à qui il disait « je t'aime » chaque soir au coucher et chaque matin au lever ? Il lui souriait en déjeunant tout en l'imaginant s'étouffer avec un bout de pain ou se convulser sur le plancher ciré. Pas de suicide ni de mort suspecte : rien qui puisse l'incriminer.

Sa femme morte. Femme vengeresse, femme impatiente ; perfide, brutale, insensible.

Ne rien perdre sinon elle. Tout garder. Rester intact.

Une mort comme une libération. Pour éviter la déception, s'en sortir dignement, demeurer dans la famille.

Pas de rupture acrimonieuse, pas de partage des biens : aucune lutte à finir, aucune discussion où il serait forcé de lui donner raison. Aucuns pleurs, aucun cri. Sans possibilité de reculer. Rien à justifier ; rien à expliquer aux autres, sinon les circonstances malheureuses de sa chute, les causes de sa foudroyante maladie.

La mort de sa femme était primordiale.

Il fallait qu'elle meure.

La société n'attendrait plus rien de lui ; il serait affranchi. On le laisserait filer. Triste, flagellé, dépouillé de la seule chose qui faisait de lui un être équilibré, le traducteur serait enfin libéré du monde ; il n'aurait plus à gagner d'argent, à avoir de l'ambition ou à mettre des enfants au monde.

Libre. Libre de zigzaguer, d'être à l'abandon, d'errer sans but. Libre.

Libre de ne plus tondre son gazon, de ne plus avoir d'hypothèque ni de patron. Libre d'être privé de sentiments. Désaimanté, propre, aseptisé. Indestructible, inattaquable. Autre.

Enchaîné à sa vie de couple, le traducteur ne voyait aucune issue, aucune façon de retrouver sa liberté. Le seul moyen d'éviter l'inévitable : la déception, la dépression, l'erreur fatale. Hanté par la crainte de bousculer les choses, de perdre des acquis par sa faute, il avait besoin qu'elle meure pour tenter sa chance ailleurs, prendre des risques, aller plus loin.

Le traducteur voulait être artiste, retrouver sa jeunesse, renaître, réaliser tout ce qu'il aurait dû faire à l'époque où on n'attendait rien de lui. Vivre dans l'insouciance, avoir du temps.

Il manquait de temps.

La chair de sa femme l'écrasait. Son souffle l'étouffait. Comme un gaz nocif, cette femme s'était répandue dans tous les coins de son existence et menaçait à tout moment de le tuer par asphyxie. Elle se déversait, prenait de l'ampleur, le couvrait, l'engluait. C'était elle ou lui. Elle était l'envahisseur ; il était la victime, l'agonisant, le disparu.

La vie du traducteur n'était pas faite pour être coupée en deux ; il n'était pas fait pour vivre en couple. Sans passion, charrié par l'existence comme un coquillage par la mer, il n'avait jamais été celui qu'il aurait voulu être, n'avait jamais rien tenté de peur de la perdre. Sa vie s'écoulait doucement, mais sûrement.

Le temps filait. Le temps pressait.

Il fallait que le destin se mette enfin de son côté et abatte sa femme à bout portant.

Sa mort comme un début.

Il se faisait tard, le traducteur allait se coucher. Il reportait son travail d'écriture au lendemain ; à l'aube, s'il parvenait à se lever.

Maintenant, il n'avait plus les idées claires. Surmené, il se bourrerait de sirop contre la toux pour obtenir un sommeil instantané, pour être certain de ne plus penser. La journée avait semblé un cauchemar ; demain ne pourrait être que moins dense, moins curieux, moins maléfique. Plus simple. Le traducteur se souviendrait peut-être de tout en se levant : de sa femme, des raisons de son départ, de l'identité de l'intrus.

Bien reposé, l'inspiration lui viendrait sûrement. Il allait reprendre sa vie en main, ou à tout le moins ce qui en restait – un placebo, une masse informe – et en extirperait la force vitale de son rêve, ce qu'il aurait dû faire depuis longtemps.

* * *

Sa femme – cette femme qu'il aurait voulu morte – allait-elle rentrer en pleine nuit : soûle, empestant l'eau de Cologne de son amant et le tabac, un sourire contenté aux lèvres, l'air épanoui ? Que devrait-il faire alors ? Que faudrait-il lui dire ?

Comment s'empêcher de lui tordre le cou, de lui arracher son sourire coquin ?

Faire semblant de dormir ? La bouder ? La culpabiliser ?

Lui pardonner, être content, effacer la journée de la veille, échanger les rôles…

Lui rendre la monnaie de sa pièce, la pousser à bout, la faire craquer.

Et si elle ne rentrait pas ? Devait-il signaler sa disparition ? De quoi aurait-il l'air devant les policiers ? Il ne savait pas depuis combien de temps elle était partie, ne se souvenait pas des circonstances de son départ, n'était même plus sûr de son nom. Un homme sans souvenir précis de sa femme.

Les forces de l'ordre le trouveraient étrange. Le traducteur serait un individu louche. Un bizarre. Un nain jaune. Le principal suspect de l'affaire. Les policiers le jetteraient en prison pour entrave à leur travail, et se moqueraient sans doute de sa confusion.

Où donc était cette femme ?

Le faisait-elle exprès ? Le torturait-elle sciemment ?

Était-elle enfin morte ? Disparue. Partie. Il imagina un corps de femme abandonné au bord d'une route, un manteau rose crevant la surface de l'eau, des mains ensanglantées sur le volant gris de l'auto. Les dieux l'avaient-ils exaucé ? Le destin s'en était-il enfin mêlé ? Le traducteur avait-il fini par la tuer à force de la vouloir morte ?

* * *

Conscient qu'il ne serait jamais écrivain si elle rentrait ce soir, qu'il passerait le reste de son existence à se disputer avec elle, à plier l'échine devant elle, à vouloir se venger d'elle ; convaincu qu'elle le forcerait à traduire, qu'elle recommencerait à le couper de tout, à lui reprocher de saper en mangeant, de frotter sa fourchette contre ses dents, le traducteur souhaita qu'elle reste là où elle était.

Qu'elle nuise à quelqu'un d'autre !

Femme de sadisme et de dépit.

Femme d'inutile et de discorde.

Morte ou pas, il finirait bien par l'oublier complètement.

La femme squelette et la fillette aux allumettes

À l'abri dans sa tête, loin de l'étrange et de sa mémoire assiégée, le traducteur avait longtemps dormi, d'un sommeil de plein air, en coup de massue, engourdi, pesant et amnésique. Jusqu'à ce qu'il soit tiré du lit par des bruits de chantier. Des coups de marteau, des vrillements, des toctocs, des cris perçants et des jurons de femme. L'apocalypse à deux pas de chez lui, à plein volume, branchée sur l'amplificateur, aux haut-parleurs, au porte-voix. Un tapage incessant, assourdissant, abrutissant. Une répétition de fanfare.

Assez pour devenir fou. Assez pour faire hurler.

Obligé de vivre, le corps rempli de fatigue, lourd, comme en ciment ou en plomb, le traducteur s'était levé à regret. Tentant de repérer l'origine du vacarme, il avait jeté un coup d'œil à la fenêtre. Le voisinage gardait son immobilité de la veille : tous disparus, évaporés, évanouis dans l'ailleurs. Toujours pas d'auto dans l'entrée ni de femme soûle endormie sur le paillasson. Ni écureuil, ni facteur, ni enfants. Que du bruit. Mais quel bruit !

Radioactif, cannibale, cryogénique, le vide tonitruant de la vie du traducteur s'était étendu à l'extérieur et contaminait maintenant tout le voisinage. Enfin régnait l'absence.

Que se passait-il vraiment ? Avait-on oublié de le prévenir d'une alerte quelconque ? Une bombe atomique ? Une invasion bactériologique ? Des ovnis ?

S'amusait-on à lui tripoter les synapses alors qu'il était captif d'un jeu vidéo futuriste ? Était-il couché sur une table de laboratoire, des ventouses collées sur tout le corps, alors qu'il se croyait chez lui ?

Était-il dans la vie ou dans sa tête ? Chez les morts ou les vivants ? L'au-delà était-il à l'image du monde réel, avec la vie en moins et les morts en plus ? La mort avait-elle pris l'apparence de sa vie insignifiante ?

S'il était bel et bien mort, quelle était la cause de son décès ? Sa femme. Femme toxique. Mauvaise haleine, putréfaction. Toujours elle, encore elle. Celle-là, il la retenait. Il rageait, voulait se venger. Si jamais l'occasion lui était donnée, il dirait à Dieu – Celui qu'il connaissait, toujours un peu vengeur – de l'électrocuter dans son bain, de faire déraper sa voiture, de lui faire pousser une tumeur. Le traducteur ne se laisserait pas faire. Sa femme en avait déjà trop profité.

* * *

Dans la cuisine, une femme maigre, aiguë et terne, se tenait immobile au milieu de la pièce, comme si elle dormait debout. Ses yeux ouverts fixaient une fillette qui s'amusait à craquer des allumettes qu'elle laissait flotter dans un bol de céréales à demi mangé.

Il n'avait jamais vu de femme si chétive, si anguleuse ; une femme dont la peau vert-de-gris laissait voir son envers – ses muscles, son squelette, ses nerfs, ses veines. Un nez énorme et d'immenses yeux vitreux trônaient au milieu de son visage étroit. Ses cheveux raides et indisciplinés, noirs et sans reflet, semblaient trop nombreux pour sa tête minuscule. *Perruquesques !*

Une femme impossible. Un spectre de femme accompagné d'une fillette pyromane, déjà défraîchie et fatiguée malgré son jeune âge, assise à la table. Blonde et bouclée, le regard tristement fixé sur les allumettes noyées, l'enfant sortait mécaniquement des petits paquets jaunes de la poche du vieux tablier blanc qu'elle portait sur sa robe de nuit, constellée de pères Noël et de cœurs rouges et verts. Un à un, sans détourner le regard du bol, sans s'intéresser au reste du monde. Crac, crac, crac. Les petites flammes, l'odeur de soufre. Plouc, plouc, plouc. Des cailloux jetés dans la mare, des pirogues miniatures sur les côtes australiennes.

Figé dans l'embrasure de la porte, le traducteur frissonna à la vue des doigts meurtris de l'enfant, que la lueur des flammes jaunes révélait : trois d'une main, quatre de l'autre ; noirs, blancs, bleus, rouges, mauves, toutes les couleurs sauf celle de la peau.

Encore de l'étrange. Encore du fictif. Cette fois-ci doublé de malheur, de misère, de souffrance.

Comme si ce n'eût pas été assez. Comme si le tableau avait manqué de poignant, le traducteur aperçut les pieds de la fillette se balançant sous la table – l'un chaussé d'une pantoufle rose déformée ; l'autre nu et noirci.

Un autre élément du drame. Une scène de plus dans son cauchemar. Encore, toujours. Jamais rien de familier ou de simple. L'horreur.

Ces femmes sortaient-elles tout droit d'un camp de concentration, d'une léproserie, d'un charnier ?

Prisonnière d'une carcasse noircie – prise au piège dans un cadavre –, l'enfant faisait peine à voir : blessée, congelée, presque morte, elle aussi.

Comme avait-on pu la laisser souffrir autant ? Le traducteur rêvait d'effacer les choses, de refaire le passé.

Et si cette fillette était la sienne ?

Sa vie aurait été moins vide s'il avait eu un enfant à bercer ; son union avec sa femme aurait eu un sens, une motivation. Toutes ces souffrances n'auraient pas été vaines. Il aurait eu besoin d'un enfant comme la fillette. Démuni, déjoué par la vie, il aurait été heureux de la tenir dans ses bras mollasses, lui qui n'avait aucune chance d'amour avec les enfants normaux. Morne et lent, grincheux et contrôlant, il était le bonhomme Sept-Heures, le monstre sous le lit, le fantôme dans le placard et les bruits bizarres.

Était-il celui qui l'avait laissée geler ? L'avait-il oubliée dans la neige comme il avait oublié sa femme quelque part ? La femme maigre était-elle le spectre de sa femme, revenue d'où il l'avait laissée pour morte, revenue d'entre les morts pour le hanter, pour terminer son œuvre de cruauté ?

Ce petit squelette était-il son bourreau ?

Le traducteur s'était-il enfin vengé ? L'avait-il enfermée dans les égouts avec les rats ? Était-il ce genre d'homme ? Était-il le plus cruel des deux ?

Qui étaient ces gens ? Il ne se souvenait de rien, ne se rappelait pas. Vide, vide, vide. Une coquille vide, une tête emmurée. Se pouvait-il qu'il ne reconnaisse plus sa femme et son enfant ? Comment se faisait-il qu'il n'y ait aucune photo d'elles dans la maison ? Quel genre de famille avaient-ils formée ?

Par quel genre d'absence étaient-ils habités ?

Toujours dans l'embrasure de la porte, désarçonné, incrédule, le traducteur vit la femme maigre et l'enfant noircie se tourner d'un même mouvement vers lui.

« Nous avons ramassé ça pour vous », annonça la femme d'une voix faible et mal assurée, presque râlante.

Cette femme, à qui il manquait une dent, n'était assurément pas celle du traducteur – femme d'apparence et de coquetterie, d'arrogance et de caprices –, complice de cette machination. Un rouage, un piston.

Irrité, le traducteur prit la feuille qu'on lui tendait : une feuille lignée pliée en deux dont il connaissait déjà le contenu. Ainsi, le nain jaune était encore passé ce matin-là. Était-il accompagné de l'intrus ? Guère réjoui, le traducteur se rassurait en se disant que s'il était venu, l'inconnu l'avait laissé tranquille. C'était toujours cela de pris.

L'intrus n'était pas entré dans la maison, ne s'était pas assis au chevet du traducteur : son visage cireux penché sur le sien ; son haleine aigre s'infiltrant dans ses rêves jusqu'à le faire suffoquer, noyé dans un marais ou coincé sous une pyramide de cadavres. Pour rien au monde le traducteur n'aurait voulu voir les ombres et les lueurs de l'aube danser sur ce visage mort.

Sans attendre, la femme se tourna vers la table et prit une autre feuille de papier, celle-là sous le bol de céréales de la fillette, collée par du jus d'orange et de la confiture.

« Et puis, il y a ça aussi, de la part de l'Américain. »

Sa voix sous respirateur était déjà un peu plus assurée, quoique tout aussi encombrée, pleine de cliquetis et de grattements, à peine audible à cause des bruits de chantier.

Une bordure fleurie, des caractères illisibles – une fois encore le traducteur avait déjà reçu pareille missive. S'étant rendu compte de l'erreur de langue, l'intrus lui faisait-il parvenir un contrat en français par l'entremise de la femme squelette et d'un mystérieux Américain ?

En un coup d'œil, le traducteur serait fixé, trouverait la clé du mystère, comprendrait enfin l'intrigue. Comme il fallait s'y attendre, il dut faire face à une autre déception, s'enliser encore un peu plus. Le contrat n'était bien sûr rédigé ni en français ni en anglais. Ni en langue scandinave d'ailleurs. À en croire les drôles de lettres, il s'agissait cette fois-ci de russe.

Fallait-il vraiment s'étonner ? La fin n'aurait pu être si simple. Le traducteur devait payer ; on voulait le voir pleurer, l'entendre crier. L'ennemi cherchait à faire durer le supplice, à s'assurer qu'une grimace d'horreur lui déformerait le visage à l'heure précise où il saurait enfin le fin mot de l'histoire, où il disposerait de tous les indices. Seulement quand l'heure de vérité aurait sonné.

Exaspéré, le traducteur fit une boulette de papier du prospectus et du contrat qu'il envoya couler dans son eau de vaisselle.

Toujours, toujours, encore, encore, plus, plus, martelait le traducteur dans sa tête. Jamais de fin. La situation était ridicule, aberrante, une suite d'idioties mises bout à bout. Une guirlande d'imbécillités, d'illogismes, d'impossibilités. Pourquoi utiliser une langue que le traducteur ne connaissait pas, sinon pour lui faire perdre son temps, pour s'amuser à ses dépens ? Ce n'était pas vraiment drôle, le traducteur connaissait de meilleurs gags. Pour l'exaspérer, l'occuper, le rendre fou ? Détourner son attention ?

Que stipulait ce contrat ? Exigeait-on de lui qu'il vende son âme au diable ? Qu'il abandonne son premier-né ? Pourquoi espérait-on qu'il signe sans savoir ? Quelle machination, quelle entourloupette, quel crime tentait-on de dissimuler ?

Le nain, l'intrus, la femme et l'enfant ne respectaient pas les règles de la raison et de la réalité. Ils se moquaient de la vraisemblance. Ils trichaient.

* * *

Le traducteur voulait une fois pour toutes se tirer des sables mouvants de l'étrange, échapper à cette histoire abracadabrante. C'était le moment ou jamais : il fallait y voir clair. Cette femme tremblotante, la seule qu'il n'oserait jamais affronter, devait l'éclairer.

« Dites-moi, madame, savez-vous ce que stipule le contrat ? » demanda-t-il, poli.

Sans lui répondre, la femme détourna la tête et tendit à la fillette le paquet d'allumettes qu'elle venait de prendre dans la poche du tablier – si la maison brûlait, le traducteur saurait qui mener en procès.

Oui ou non, savait-elle la réponse ? Ignorait-elle la question par crainte ? Par obligation, par dédain ? L'avait-il insultée en jetant le papier dans l'évier ? Pourquoi ? Était-elle la femme du nain, de l'intrus, de l'Américain ?

Les bruits de scie. Les coups de marteau. Plus de questions que de certitudes. Plus de questions que de mémoire.

Le traducteur devait faire une croix sur la vérité, jeter cette histoire aux oubliettes. Il n'avançait pas, ne savait rien de plus ; il s'enfonçait, toujours plus creux, toujours plus vite, aspiré par le fond, par la puissance de succion de son propre vortex.

Un sursaut d'énergie l'empêchait de capituler.

« Qui est cet Américain ? Que me veut-il ? » cria-t-il pour couvrir les bruits ambiants, affolé, atteint, sûr qu'on ne lui répondrait pas.

On lui répondit.

Au moment où il ne s'y attendait plus, la femme lui offrit une réponse floue, chargée de mystère, mais une réponse tout de même, un pas en avant.

« L'Américain est responsable du voyage », annonça-t-elle mécaniquement, les yeux baissés vers la table, avec l'intonation d'une écolière récitant son catéchisme.

L'Américain est responsable du voyage.

Le voyage ? L'expédition de rameurs ? L'inconnu rencontré la veille parlait français sans accent. Comment aurait-il pu être américain ? Le traducteur avait-il affaire à un groupe d'associés ? À un duo maléfique ?

* * *

Cette femme lui offrait une réponse partielle. C'était son rôle pour que l'action se déroule, pour que la suite soit assurée, pour donner une direction au cauchemar. Une partie du mystère se dissipait. Cependant, le traducteur avait la nette impression que ses questions étaient comptées, que la femme ne répondrait qu'à quelques-unes. Il importait donc de choisir les bonnes, de les formuler intelligemment, de les répéter mentalement.

Il laissait tomber la piste de l'Américain. Pour l'instant, cet homme n'existait pas pour lui : il n'était qu'un semblant de nom – l'Américain –, aucune image, aucune influence connue sur sa vie. Le traducteur allait plutôt se concentrer sur l'intrus, la clé, celui qui savait que sa femme était partie. La disparition de sa femme était au centre du mystère. La retrouver, c'était retrouver la mémoire. La repérer dans sa mémoire, c'était effacer l'étrange, retourner à la vie normale, vivre comme avant.

« Savez-vous ce que me veut l'homme habillé en détective qui est venu chez moi hier ? »

Malgré sa nervosité, le traducteur s'efforça de sourire, tout en risquant du même coup un pas en avant, doucement, pour ne pas les effaroucher, mais sûrement, pour ne pas faire sentir de dessein caché.

Rien. Pas une parole. Une autre question sans réponse. Aucun progrès.

Les bras croisés sur sa poitrine osseuse, somnolente, la femme ne le regardait pas.

Rien. Une lumière s'éteignait.

* * *

« C'est l'Américain, il est responsable du voyage », finit-elle par souffler, très bas, comme après mûre réflexion.

C'est l'Américain, il est responsable du voyage. Toujours cette réponse mécaniquement répétée.

Donc, si la femme maigre ne mentait pas, l'inconnu de la veille était un Américain chargé d'organiser le voyage en canot, pour lequel le traducteur avait reçu deux contrats.

Bizarre. À tout le moins, bizarre.

Cet homme parlait très bien français, n'avait rien d'américain. S'il avait un accent, c'était celui de Montréal. Était-il né de parents francophones, vivait-il au Québec depuis longtemps ? Peu importe. Aucune importance, aucune pertinence. Qu'il ait été américain ou québécois, polonais ou argentin, dentiste, chimiste ou astrologue, ces précisions n'apportaient rien de plus, ne levaient aucun voile. Qu'importe, qu'importe. Le traducteur pataugeait dans la même ignorance, ne savait rien de plus sur la disparition de sa femme. Le mystère allait toujours s'épaississant. L'inconnu était américain. Oui, bon, quoi ? Aucune illumination, aucune vraie explication. Un détail parmi tant d'autres.

Il fallait pousser plus loin, chercher à connaître le dessein de l'intrus ou encore s'engager sur une autre piste.

* * *

Avant même que le traducteur ne formule une question dans sa tête, la femme s'approcha de lui, la main gauche tendue, énergique, fiévreuse, pleine d'aplomb malgré les tremblements. Chargée d'une mission.

« Je suis la rameuse numéro deux et la petite est la numéro trois. »

Des rameurs. La suite. La deux et la trois. Le nain, numéro quatre ; le traducteur, numéro huit. Quels inquiétants compagnons d'équipage : une femme squelette, une enfant gelée et un nain débile à bord d'une galère qui ne voguerait pas très loin.

À son tour, le traducteur fit un pas vers elle, prit délicatement sa main desséchée, qu'il secoua à peine, inquiet à l'idée de la faire tomber en poussière.

« Enchanté, je suis le rameur numéro huit », annonça-t-il souriant, faux, hypocrite, fidèle à lui-même.

Concentrée, la fillette ne s'intéressait qu'aux allumettes qui flottaient parmi les flocons ramollis. L'odeur écœurante du soufre. Cette femme, cette fille appartenaient au mystère ; elles faisaient partie de l'invasion. Des envoyées de l'intrus. Des suppôts de Satan.

Avant sept heures, le soleil à peine levé, la femme et l'enfant se préparaient à partir en emportant avec elles la mémoire du traducteur. La femme maigre prit la main colorée de la fillette, qui se leva d'un bond, pleine de jeunesse et de gaieté malgré son corps supplicié. Elles se dirigèrent vers la porte arrière de la maison.

Trop tard pour poursuivre l'interrogatoire, trop tard pour percer le mystère, pour crever l'abcès. C'en était fini de la chance qui avait été offerte au traducteur.

Tant de lassitude dans sa tête. Écrire. Devenir autre chose. Abandonner l'idée du passé. Le traducteur n'aurait plus de réponse. C'en était fait. Tout était perdu. L'étrange persisterait. Enfoncé, toujours plus creux, jamais calmé, le traducteur ne saurait pas qui étaient les gens qui rôdaient autour de chez lui, ce que stipulait le contrat, où se cachait sa femme. Les deux rameuses ne lui rendraient pas la mémoire. Il ne saurait rien.

Rien, rien, rien. Rien !

Il devait cesser de penser à sa femme, ne plus jamais la chercher. L'oublier – femme à mandibules, crustacé. Oui, tout était la faute de sa femme. Femme griffue, femme de fiel. Chaise électrique, cravache, poignard. Même disparue, elle continuait à le martyriser. Tout ça n'était que la suite logique de sa méchanceté, l'achèvement de son œuvre morbide. Elle ne devait pas être très loin : ces gens étaient des espions chargés de lui raconter les déboires du traducteur, sa descente aux enfers, la fin de sa lucidité.

Paresseusement étendue dans le lit de son amant, un verre de vin à la main, nue dans les draps défaits, indécente et cruelle, sa femme devait bien s'amuser, ne perdait aucun détail de ses malheurs, s'esclaffait grassement à chaque nouvelle péripétie, en laissant couler de sa bouche et de sa coupe un peu de rouge sur sa chair moite.

Il fallait que le traducteur la découvre, qu'il la batte à son propre jeu. Femme scélérate, démone, harpie.

* * *

Les retenir encore quelques instants. Quelques petites minutes.

Il fallait qu'il sache pour sa femme. Désemparé, déconcentré, obsédé, le traducteur ne se mettrait jamais vraiment à l'écriture de son roman tant qu'il ne saurait pas s'il était veuf ou séparé, cocu ou assassin, bourreau ou victime. Il ne pourrait pas continuer à vivre très longtemps sans mémoire, il lui fallait une tête. La tête que la femme maigre et la fillette kidnappaient en quittant sa maison.

« Restez ! » laissa-t-il échapper, suppliant.

La femme maigre eut une réponse instantanée, bondissante comme un ressort : « Regardez-vous, vous êtes fatigué, vous ne pourrez jamais faire le voyage dans cet état lamentable. Vous n'avez pas dormi depuis des jours. Reposez-vous, oubliez un peu. Choisissez d'accepter votre sort. »

Mais qu'est-ce qu'elle racontait ? De quel droit se permettait-elle de juger de son état ? Femme squelette. Tas d'os, absence de tout. Il allait très bien, avait dormi comme un loir. Physiquement, il ne s'était jamais senti aussi revigoré de sa vie. À bout, énervé, désabusé peut-être, mais vigoureux, en forme, prêt à tout. Presque un surhomme. Marathonien.

De la projection. Voilà ce qu'elle faisait. Cette femme éreintée souhaitait dormir avant le voyage des rameurs. Elle sollicitait poliment son congé, le priait de lui laisser un peu de repos. Le traducteur n'était pas homme à s'imposer, pas homme à faire souffrir inutilement, il était le plus gentil du couple : qu'elles aillent se refaire une santé.

* * *

La main osseuse de la femme sur la poignée. Les deux rameuses partaient, le traducteur ne saurait pas. Tout était fini. L'amnésie à perpétuité.

« Attendez ! » Il avait crié en s'élançant comme un fou vers la femme et l'enfant, au bord du désespoir, braquant sur elles un regard qui l'aurait lui-même effrayé. Malgré un mouvement de recul, elles attendirent l'une contre l'autre, les yeux écarquillés.

« Savez-vous où est ma femme ? »

La question était posée. Toute simple. *Où est ma femme ?* Femme immonde. Monstre. Atrocité.

Puis l'attente. Un traducteur rempli d'attente devant deux êtres hésitants, accrochés à une poignée de porte. La question d'entre toutes. La clé.

Où est ma femme ? Où est ma femme ?

Où est ma femme ? Où… est… ma… femme ?

Le traducteur vit tout de suite dans les yeux de la femme maigre que la question ne l'étonnait pas, qu'elle devait savoir. Il n'y avait aucune surprise dans son regard, que de la certitude.

La solution du mystère était tout près, dans la tête de cette femme osseuse.

Aurait-il droit à une autre réponse de catéchisme ? Allait-il savoir enfin ? Elle se contenta de se tourner vers la petite qui la regardait, un peu inquiète, mais prête à obéir.

La femme du traducteur avait-elle été congelée elle aussi ? Était-elle la tortionnaire de la fillette aux allumettes ? Femme impitoyable, psychopathe, perce-oreille. À peu près tout était possible.

Un signe affirmatif du menton, un sourire sur le visage de la femme émaciée. Craintive, mais décidée, la fillette posa pour la première fois son regard grave sur le traducteur.

Qu'allait-elle donc lui annoncer ? Était-elle la fille de sa femme ? Avait-elle passé les dix dernières années cachée dans leur chambre froide, maltraitée par la marâtre, ignorée par lui ? Le secret de sa femme. Sa victime. Était-ce ce crime innommable qu'il avait découvert avant d'être frappé d'amnésie ? Cette enfant était-elle l'incarnation de sa mémoire mortifiée ?

Elle se préparait à dire quelque chose. Le traducteur, excité, terrorisé, impatient, saurait enfin.

Solennellement, l'enfant noircie plongea la main dans son tablier pour en ressortir deux cartes à jouer : une carte beige et une carte bleue, des cartes à tranche dorée, décorées d'un canard colvert saisi en plein vol.

Comme un magicien sur le point d'exécuter un tour de magie, la fillette, bras tendus et cartes à la main, semblait attendre que le traducteur fasse un choix.

Celle à fond beige ou celle à fond bleu ? La bleue ou la beige. Jamais rien de simple, toujours du mystère. Toujours des détours, jamais de vraie réponse. Le traducteur refusait de jouer le jeu. Mieux valait abandonner tout de suite, se sauver, stopper l'engrenage avant qu'il y ait des blessés.

« Choisissez ! » trancha la femme maigre, agrippée à la poignée, le corps plaqué contre la porte, laissant paraître son impatience.

La bleue ou la beige ? La beige ou la bleue ? Comme si cela avait de l'importance… Le traducteur n'allait tout de même pas découvrir la vérité sur une carte à jouer…

L'enfoncement toujours. Aucun autre choix que de se laisser faire, se laisser mener par le parcours erratique du cauchemar, suivre le chemin que la main invisible du destin lui traçait.

Espérer, pour le salut de sa mémoire, peu importe où qu'elle soit. Espérer que tout cela ait une fin.

Décidé, le traducteur eut un mouvement vers la carte beige, mais se ravisa avant de la toucher. Pour guider son choix, il lui fallait un signe, une indication. Les yeux bleu vert de la fillette, sa peau blanche, presque beige. Bleu et beige, beige et bleu.

La carte bleue. Comme un ciel pour l'envol du canard. La réalité sur fond de vérité.

Des petits sandwichs. Un dessin de sandwichs de buffet.

Un autre élément. Pas de quoi renseigner le traducteur sur la disparition de sa femme. Encore de l'impossible. La suite de l'invasion, la conquête poursuivant sa marche. Bientôt, l'étrange remplacerait tout.

La femme et la fillette l'avaient-elles sciemment trompé ou est-ce que les sandwichs faisaient réellement partie du mystère ? Qu'une collation soit à l'origine de la disparition de sa femme, que des petits sandwichs lui aient volé son passé, voilà qui était ridicule comme le reste. Idiot, complètement vain.

Aucune piste n'était pourtant à négliger. Neutralisé, sans espoir de rédemption, le traducteur ne pouvait ignorer ce nouvel indice.

La mémoire lui reviendrait en réfléchissant. Il fallait qu'il trouve. L'obsession devait cesser.

Des petits sandwichs…

Sa femme s'était-elle rendue à un mariage ou à des funérailles ? Le traducteur n'avait souvenir d'aucun marié, d'aucun macchabée.

L'avait-on enlevée au cours d'un banquet, ou lors d'un pique-nique ? Entre elle et lui, un sandwich était-il devenu une pomme de discorde ? Un cheveu dans le sandwich de l'autre avait-il provoqué un esclandre ? Mangeait-il du pain blanc ? Préférait-elle le brun ? Aimait-elle les sandwichs ou ne les aimait-elle pas ? Comment savoir ? Le traducteur n'avait d'autre choix que de se concentrer sur la carte, d'en étudier tous les détails en espérant que sa mémoire se réveille.

Un sandwich au fromage et à la laitue, un sandwich aux œufs, un cure-dents planté dans une olive. Sa femme s'était-elle étouffée en mangeant un sandwich ? Se trouvait-elle quelque part dans la maison, étendue morte, bleue, du pain dans les poumons ? La maison n'était pas si grande, le traducteur aurait fini par trébucher sur son cadavre. Il y aurait eu l'odeur de putréfaction qui venait à bout de n'importe quelle amnésie, partielle ou définitive.

Travaillait-elle dans une cafétéria ? Il lui semblait pourtant qu'elle était optométriste. Ou dentiste. Pédiatre ? Une sorte de médecin. Non, sa femme n'aurait jamais pu faire ce métier, plutôt mourir de faim, plutôt vivre dans la rue.

Couchait-elle avec un traiteur ? Voilà qui était possible ! Évident. Femme de débauche, femme à la cuisse légère.

Toujours cette femme, toujours elle. Le traducteur la voulait morte, en état de décomposition avancée, pleine de vers, asticotée. La cervelle dégoulinante, le crâne en miettes. Morte. Muette. Finis les cris ! Terminés les reproches ! Éteinte, oblitérée, effacée de sa tête. Il voulait l'oublier, elle devait disparaître. Sa femme n'était plus là, c'était l'essentiel : il devait s'en réjouir et savourer enfin son existence sans elle.

Écrire. Vivre. Essayer autre chose.

Il perdait son temps à jouer aux devinettes. Cette carte bleue ne voulait tout simplement rien dire. Il n'avait pas su choisir, n'avait pas eu la main heureuse.

Le traducteur la glissa dans la poche de sa chemise de pyjama, se fourra un croissant dans la bouche et renonça à l'idée de se préparer un café.

L'autre femme dans sa tête et les rameurs dans le salon

En route vers le salon, le traducteur s'arrêta brusquement, foudroyé, stupéfait, terrorisé par ce qu'il vit dans le miroir de l'entrée. Son visage, métamorphosé. Quelqu'un d'autre que lui. Un homme en bouillie, défait, abîmé, malade. Un étranger.

Ahuri, il lâcha son croissant, se toucha le menton, hésitant. La femme maigre lui avait dit qu'il n'avait pas bonne mine, mais il ne s'attendait pas à pareil spectacle, n'aurait jamais pensé se voir ainsi démoli, enfermé dans le corps amoché d'un autre.

L'irréel prenait le dessus pour de bon. Jusque-là, tout était resté possible – tordu, mais possible. Pourtant, le traducteur se sentait en grande forme, avait si bien dormi. D'un sommeil de plein air, en coup de massue, engourdi, pesant et amnésique, fallait-il le redire, insister encore plus ?

Masse de chair battue, loque humaine, mutation des traits, désormais méconnaissable, le traducteur tel qu'il avait été n'existait plus. Les yeux rougis et gonflés, presque entièrement clos, comme s'il avait pleuré toute la nuit ou été battu à la barre de fer, il était enflé, avait le teint gris ; la lèvre fendue, encore suintante. Des ecchymoses cerclées de jaune et de vert lui constellaient les joues et le cou. Il lui manquait une incisive.

Comment avait-il pu ne pas se rendre compte de son état ? Ne pas sentir la douleur, la courbature, l'espace entre ses dents ? Le goût du sang dans sa bouche ? Comment avait-il pu oublier ça ? Qu'était-il devenu, dans quelle folie s'était-il réfugié ? Sa femme, sa femme, sa femme. Femme à l'origine de tous ses malheurs. Jamais là, toujours là. Femme maudite, cancrelat, putain. Bulldozer, piège à ours, TNT. Le traducteur sentit ses sinus se serrer. Sa femme. Le laisserait-elle un jour tranquille ? Cesserait-elle enfin de le faire souffrir ? Saurait-il pourquoi elle s'acharnait ainsi sur lui ? Avait-elle payé des gens pour qu'ils le battent à mort ? L'intrus – au regard diabolique et sans lumière – était-il son bourreau ?

Quel genre de force le traducteur devait-il affronter ? Que lui arrivait-il ? Il commençait à douter sérieusement de sa santé mentale. Imaginait-il tout ? Était-il drogué, mort ou fou ? Victime d'une réincarnation ratée ?

C'était comme si son existence, sa femme et lui-même avaient disparu d'un seul coup, aspirés dans un trou noir, absorbés par le vide, par leur nullité, par leur inutilité dans l'univers.

Écrire. Écrire pour être sauvé.

Le traducteur avait toujours sa tête et un semblant de volonté. Son essence, son âme, son caractère. Vide et dévisagé, sans mémoire et envahi, mais encore lui-même.

Oublier son visage rougi, les bruits de construction et les êtres de son cauchemar. De toute façon, il n'y avait rien d'autre à faire, les réponses à ses questions resteraient emmurées dans sa mémoire perdue, réponses inaccessibles, désormais inexistantes.

Écrire pour oublier.

S'accrocher à l'unique souvenir. La femme d'avant la sienne. Son seul réconfort. Sa liberté. Imaginer une vie avec elle, se blottir sur son ventre.

Quoi dire pour commencer ? Le dérapage, l'erreur impardonnable. Un soir de juillet, le soir d'entre tous les soirs, elle avait fini par cesser d'attendre le jour où elle serait la seule, l'unique, l'élue. Un soir comme tous les autres, puisque le traducteur ne se doutait pas que c'était le bon, que cette fois-là serait la dernière. À maintes reprises, la scène de rupture avait été jouée, avec plus ou moins de brio, avec plus ou moins de sincérité.

Partie. Évaporée. Avait-elle suivi le conseil d'une amie ? Avait-elle enfin compris qu'il valait mieux sortir de la vie de cet homme froid, distant et cruel – cet homme qui réussissait toujours à ne rien remarquer, à ne rien comprendre – avant qu'il l'anéantisse, avant qu'il la jette, qu'il la fasse disparaître de sa tête ? Traducteur de mort, traducteur assassin.

Ce jour-là, où, à sa manière, il l'avait rejetée pour la énième fois en lui disant d'attendre, en lui répondant : « Tu le sais », mais en ne sachant rien de plus, la femme d'avant avait quitté le jeu, était allée se faire une vie ailleurs tandis que le traducteur esseulé s'abandonnait pour de bon à sa femme.

Il ne l'avait plus jamais revue. Dans aucun bar ni magasin. Nulle part. Complètement sortie de l'histoire de sa vie. Ils habitaient pourtant la même ville, presque le même quartier. Du jour au lendemain, elle avait cessé d'exister. Volatilisée. Comme la femme du traducteur aujourd'hui, disparue pour de bon, sans laisser de trace. Plus jamais, en quinze ans, il ne l'avait croisée, comme si toutes les fois où elle s'était trouvée sur son chemin avaient été planifiées, comme si toutes ces fois avaient été inventées.

Étourdi de naissance, le traducteur avait laissé s'écouler une bonne année avant de véritablement sentir une absence. Instinctif comme un animal, il oubliait ce qu'il ne voyait pas.

* * *

Maintenant contraint d'affronter l'étendue de son désert, l'immensité de son drame, le traducteur avait besoin d'elle. Il fallait la retrouver, lui redonner vie, la réinventer. Vivre dans les bras de cette autre, se pendre à son cou, se nicher dans sa tête, se laisser baigner dans la mer froide, ankylosante, de ses yeux.

Se mettre en boule et flotter. Mourir. Vivre. Faire les deux à la fois. Ne pas penser. Comater en elle.

Inventer leurs retrouvailles après quinze ans d'absence. Une rencontre qui n'aurait jamais réellement lieu, avec ou sans sa femme pour l'en empêcher. C'était trop tard, désormais impossible, non viable.

* * *

La femme d'avant la sienne avait déjà tenté le coup. Une fois, à distance, sans se montrer. Sans succès.

Il avait reçu une carte d'anniversaire bourrée de clichés et de guimauve. Pour lui. Après quatre ans d'absence, elle écrivait qu'elle pensait à lui, que certains liens existaient toujours « sans raison, sans avoir besoin de les entretenir », qu'ils se sentaient mutuellement, par instinct, à l'odeur, qu'ils étaient liés « l'un à l'autre, ensemble ou séparés ». L'enveloppe portait son adresse. Elle voulait qu'il la retrace. Peine perdue.

À l'abri chez sa femme, n'éprouvant plus le désir de cette autre et de ses excentricités, le traducteur avait rejeté l'invitation, sans prendre le temps de réfléchir, sans même vraiment envisager les possibilités. C'était moins compliqué de ne pas bouger, de rester là, de continuer la vie qu'il s'était faite. La femme d'avant était trop désaxée, trop folle, trop intelligente pour accepter de vivre la routine avec lui. Cette femme était en constante rébellion, enragée, embrasée, folle, folle, folle, incapable de comprendre les bienfaits de l'oubli, de la passivité, de la nonchalance. Incapable de laisser l'eau lui couler sur le dos. Incapable de laisser l'eau couler sous les ponts. Incapable de se taire, toujours le poing levé, toujours en changement, jamais pareille, jamais stable, folle.

Idiot, impuissant et sans courage, le traducteur avait résisté à l'appel de l'autre, les deux mains agrippées à son téléviseur géant. Il était retourné à sa femme sans jamais l'avoir quittée, bien déterminé à lui faire porter le fardeau de sa décision, lui reprochant, en silence toujours, de lui gâcher la liberté, de l'enchaîner, de l'empêcher de vivre à sa manière.

Dans les semaines qui suivirent, le traducteur l'avait tuée cent fois, mille fois : sur la chaussée, sous la glace, au fond d'un trou, ou chez un maniaque. Elle avait brûlé dans la maison en flammes, avait eu la tête éclatée contre un pare-brise. Sa femme était morte, cent fois, mille fois, et il était resté tout ce temps près d'elle, la main sur sa main, à lui susurrer des mots d'amour insignifiants. Prisonnier de l'intérieur, emmuré dans sa tête, le corps alangui, le traducteur inventait des morts à sa femme et se créait des vies avec celle d'avant.

Puis l'ordre des choses avait tout naturellement repris. L'oubli, le confort, le vide. Les rêves éveillés du traducteur prirent la forme de tondeuses neuves, de voitures de luxe et de billets de loterie. De moins en moins de cheveux châtains, de beaux yeux gris, de petits seins. Une pelouse verte, une eau de piscine claire, une bonne bière froide. La vie du traducteur resta intacte, indemne, bien propre : il continua à faire les courses et le ménage, à traduire de jour et à écouter la télé de soir, tous les jours et tous les soirs de sa vie, sauf le samedi et le dimanche où il troquait les textes pour le lèche-vitrines, les émissions de variétés pour les cassettes vidéo.

Paresseux, peureux, conjoint d'une femme qui refusait de mourir sans un coup de main, il avait caché la carte d'anniversaire au fond du sac poubelle sous les épluchures et les mouchoirs souillés, puis avait ouvert le journal pour se changer les idées. Magasiner un chauffe-eau, repeindre le cabanon. Ne pas aller avec elle, ne pas penser à elle.

Le traducteur n'avait jamais rien fait pour cette fille, n'avait jamais levé le petit doigt, n'avait fait que penser à lui, que reposer ses malheurs, que soulager ses désirs dans un endroit perdu, chez un être sans nom, inexistant pour lui, dans un havre de paix, dans la solitude, dans l'anonymat, illusoirement tranquille.

Il avait renoncé à elle, l'avait repoussée pour de bon. Cette fille si belle, si réceptive, aurait pourtant fait de lui quelque chose de bien, qui sait, une réussite. Mais il avait préféré vivre quatorze ans avec une femme qui le torturait. Le traducteur s'était vidé en vieillissant, de plus en plus creux, une carcasse presque décomposée.

* * *

Dans son roman, il imaginerait ce qu'aurait été sa vie s'il avait répondu à l'appel, s'il s'était rendu chez elle, s'il lui avait téléphoné. C'est lui qui prendrait les devants. Ciel et terre seraient remués pour la retrouver ; tous les numéros de l'annuaire seraient composés. Il irait voir sa mère, son frère, ses amis d'enfance. Envers et contre tous, le traducteur la trouverait. Il l'épierait dans l'ombre, la suivrait jusqu'au travail, louerait un appartement dans l'immeuble en face du sien. Elle croirait au hasard, tomberait dans ses filets.

Piteux, profond et beau, le traducteur lui raconterait la mort de sa femme, étouffée par une mie de pain ou écrabouillée dans sa voiture. Il la repousserait un peu pour qu'elle se jette sur lui, pour qu'elle ne pense qu'à lui.

Le reste de son existence n'avait été que diversion. Un long sommeil, une pause entre deux moments d'intense émotion. Le traducteur reprendrait cette vie, celle qui lui appartenait.

Ce roman lui ferait du bien.

Les bruits du dehors avaient cessé sans que le traducteur s'en soit rendu compte. D'un coup, il se trouvait plongé dans un silence épais, lourd, ouaté. Un silence de panne d'électricité, de fond de l'eau. Troublant, pesant et comateux. De loin en loin, l'étrange ne cédait aucun pouce à l'histoire.

Un toussotement discret, suivi d'un « Excusez-moi, pardon », flûté et féminin, et d'un « Je vous en prie, merci », rauque et éraillé.

Tout à coup entouré de cinq rameurs. Encore eux, la suite de l'invasion. Malodorants et rougis, couverts de poussière, mouillés de sueur, assis dans les fauteuils ou étendus sur la moquette, ils étaient presque tous là et quelques-uns en plus.

Des rameurs éclopés. Tout un groupe d'êtres attaqués, blessés, faibles, atteints, embarqués ensemble vers un ailleurs indéfini, en route pour le dépotoir. Les êtres les plus étranges qu'il lui eût été donné de voir. Rien en eux de réel, rien d'habituel. Leur physionomie. Leurs vêtements. Des personnages de contes abîmés. Des êtres de science-fiction.

Au pied du fauteuil, le nain était allongé aux côtés de la fillette noircie qui, assise en tailleur, raide, ne craquait pas d'allumette, mais surveillait le nain, centrait toute son attention sur le petit homme jaune. L'habit de polyester du livreur était taché de terre, poussiéreux et cerné aux aisselles. La robe de nuit de pères Noël et de cœurs colorés de la fillette était encore moins blanche que précédemment.

Frêle et effacée, blonde et blanche, diaphane, une jeune ballerine assise dans le fauteuil – les jambes écartées sur les accoudoirs, presque obscène – entortillait distraitement un élastique autour de ses doigts effilés. Son visage de porcelaine, ses cheveux dorés, ses rubans bleus paraissaient intacts, immaculés, sans la moindre poussière. Chaussée de bottes militaires, les ongles peints en noir, la peau du bras brûlée, elle restait impeccable dans sa robe de linon, belle comme une reine. Une princesse G.I. Joe, un ange en temps de guerre.

Une femme sans jambes était installée dans le fauteuil occupé la veille par le traducteur. Jolie, juvénile, la peau rosée, le nez constellé de taches de rousseur, elle portait sur la tête une couronne de lys blancs et des perles sur ses longs cheveux roux, qui semblaient humides. Son veston de velours bourgogne, mouillé lui aussi, sali et déchiré à la manche, était assorti à sa courte jupe. De ses yeux verts décolorés, transparents comme une mer des Tropiques, la femme sans jambes fixait soucieusement le colosse assis devant elle.

Une apparence humaine. Une toile abstraite. Haché menu, en purée, passé au rouleau compresseur, il avait le visage couvert d'ecchymoses noires, l'arcade sourcilière si enflée que l'un de ses yeux restait complètement fermé, telle une grosse balle rouge faite de chair étirée, prête à exploser.

Comme de la mauvaise herbe, ou une marée de colons en Amérique, la barbe noire et drue du colosse envahissait peu à peu ses joues blessées. Rongé, à l'abandon, le visage maculé de croûtes, les cheveux trop longs pour sa coupe courte, cet homme était aussi amoché que le traducteur, sinon plus. Beaucoup plus.

Énormément plus, si cela était possible. Ils avaient assurément connu le même genre de nuit, partageaient peut-être le même agresseur, la même barre de fer. La même femme cruelle.

Pourtant, le traducteur avait si bien dormi. L'autre se sentait-il aussi ragaillardi que lui, dans sa tête, sous sa peau sanglante et bleuie ? À l'instar de la femme sans jambes, le traducteur n'arrivait pas à détacher les yeux de cet homme détruit au regard vague, qui de temps à autre sortait de son immobilité pour caresser d'une main distraite l'oiseau mécanique placé dans la poche de sa chemise – rouge et doré, couvert de diamants et de rubis, bien blotti sur son cœur.

Préoccupé et inquiet, le traducteur se tâta le visage en détaillant celui de l'autre. Des lambeaux. De la sauce. Étonnant de les voir tous deux encore en vie. Écrasée, déformée, suintante, la tête de l'homme était en ruine. En éruption. À en croire les taches sur ses vêtements, à en croire la façon dont il croisait ses bras tatoués sur sa chemise sale de sang, de terre et de peinture, le barbu devait avoir des fractures ouvertes, des côtes brisées, des membres désarticulés. Des compotes, voilà ce qu'étaient le traducteur et le colosse, de la bouillie pour les chats.

Des corps sens dessus dessous : organes à l'air et veines ouvertes. Sans dehors. Des hommes aux entrailles exposées.

Comment cela pouvait-il être possible ? Comment pouvait-on en arriver là ? Trop de choses impossibles. Embrouillées, annihilantes. Un gouffre. Dans ce salon, jamais rien de normal, d'ordinaire, de déjà vu. Une armée, une épidémie de rameurs. Du mystère pullulant comme des mouches.

* * *

« Nous ne resterons pas longtemps. Nous savons que vous n'aimez pas être dérangé. Le temps d'une pause, c'est tout », avait annoncé le nain jaune, faussement enjoué, malveillant, reptilien, de plus en plus à l'image de l'intrus.

Les visiteurs n'attendaient pas de réponse du traducteur, n'attendaient rien, restaient concentrés sur ce qu'ils fixaient. Un tableau vivant.

Étouffé par le silence, bouffé par lui – un silence encore plus présent que les bruits de construction, plus empoisonnant que sa femme absente –, le traducteur se taisait, sa résistance vaincue. Que faire d'autre ? Que faire sinon accepter ? Le traducteur endurait tout, sans discrimination, sans révolte, impuissant, incapable de reprendre possession de sa mémoire. Les rameurs voulaient se reposer chez lui, eh bien, qu'ils le fassent. Impossible de leur bloquer le passage, ces gens venaient chez lui, à leur gré, sans bruit, comme des fantômes, que la porte soit verrouillée ou non, de jour ou de nuit. Cette maison était désormais la leur.

Au courant de l'histoire du traducteur, les rameurs le tenaient en haleine, l'appâtaient, vivaient à ses dépens. Acariens, charognards, musaraignes.

Leur avait-il un jour causé du tort ? Des mendiants à qui il aurait refusé l'aumône, à qui il aurait trop peu donné ? D'anciens voisins ? Des échappés de l'asile ?

Assiégé, cerné par les rameurs, à ce point envahi que l'étrange, imbriqué à l'ordinaire, ne l'affectait plus, le traducteur tira une cigarette du paquet de sa femme.

Que faire sinon se soumettre ?

Comme un gros chat se prélassant dans la chaleur du soleil, le nain s'étira sur la moquette. Une tache de moutarde répandue aux quatre points cardinaux : au sud et à l'ouest, deux grosses pattes s'achevant par d'énormes chaussures boueuses ; au nord et à l'est, deux petits bras terminés par d'immenses mains maculées de terre brune.

Un sourire hideux. Des doigts aux ongles sales, jaunis, trop longs et cassés.

Une main difforme qui alla frôler la cuisse fraîche de la fillette noircie. Une main baladeuse, des doigts rampants sur les pères Noël et les cœurs colorés. Une fraction de seconde, un battement de cils. Un faux mouvement. Une maladresse. Un regard qui dit tout.

Deux yeux lubriques fixés sur le traducteur. Une grimace complice qui le fit frémir. Nain immoral, livreur pervers. Petit dégoûtant, péril jaune.

Horripilé par la scène, le traducteur ouvrit la bouche pour laisser échapper un cri qui lui resta pris dans la gorge, bien agrippé à la luette. Logé en lui depuis des jours, peut-être même des mois, ce cri s'était amplifié au fil des jours d'horreurs et d'angoisses de sa vie, jusqu'à devenir trop gros pour sortir.

Obèse. Un goitre. Un corps étranger, une terreur nocturne impossible à avaler, capable de faire exploser une tête, un cri ravageur, ancien, d'avant l'amnésie.

De l'incurable, du rampant.

* * *

Resté étendu sur la moquette, les membres tous azimuts, détendu, plein de volupté, le nain – amusé par la détresse du traducteur, par son air ahuri, son air benêt – rit à gorge déployée, exagérément, dangereusement, jusqu'à emplir la pièce d'épouvante : un rire comme celui de l'intrus, à la fois hystérique et forcé, déchaîné, sans fin, cruel. En montagnes russes, de l'aigu au grave, du grave à l'aigu.

Un nain de plus en plus pareil au maître.

Tétanisé, le traducteur voulut se boucher les oreilles, mais comme dans un rêve, ses mains restèrent à plat sur ses cuisses. Molles, flasques, inanimées : deux poissons morts. D'abord son cri, maintenant ses mains.

Un rire infini. Sinistre et sombre. Complètement dément. Accusateur. Un rire de fond de cimetière et d'assassin, emplissant l'espace pour tout anéantir, pour enterrer les pleurs de femme, les crissements de pneus et les hurlements. Un rire se poursuivant après l'impact, jusqu'aux portes de l'enfer.

Une fin du monde similaire à la folie.

Ce rire retentissant, il le reconnaissait. Bien avant l'irruption de l'intrus et du nain, il l'avait entendu une fois, dans la nuit, dans le noir, avant que tout s'efface. Un relent de mémoire qui s'évapora dans la pièce sans que le traducteur ait pu l'enregistrer dans son conscient, lui donner un nom, une date et un lieu, sans qu'il ait pu l'étiqueter.

D'abord le cri, maintenant ce rire fossoyeur. Une brèche s'ouvrait dans la tête du traducteur. Les souvenirs enterrés refaisaient surface. Des bribes du passé s'échappaient.

Des éléments du drame.

Où donc était la femme squelette ? Comment avait-elle pu abandonner sa fille aux affreux desseins du nain jaune ? Comment avait-elle pu ne pas s'offrir en bouclier ? Laisser ainsi sa progéniture entre les mains d'une bande d'illuminés et d'éteints.

« La fille n'a pas de mère », annonça une voix flûtée, mais marquée par l'effort, enrouée, tout juste audible.

Sentant la consternation du traducteur, son étonnement, sa tristesse, devinant son regard inquiet, la femme sans jambes était allée au-devant de la question, mais sans se tourner vers lui, invariablement concentrée sur le barbu à l'oiseau.

« La rameuse numéro deux n'a plus d'enfant. »

Des paroles à peine perceptibles, un chuchotement, une pensée pressentie.

Une fille sans maman ; une mère sans enfant.

Un encombrement d'éléments, d'indices. Un bazar de babioles et de breloques. Un marché aux puces. Une volière d'oiseaux rares. Un cirque. Une chasse-galerie rococo.

Le nain s'agita sur la moquette, se mit à ricaner dans ses mains. Affreux bonhomme, petit vicieux. Exaspéré, le traducteur l'aurait étranglé de ses mains s'il n'avait pas tant été dégoûté par sa peau de crapaud. Son cou huileux, zébré de plaques. Couvert de poison. Purulent, infecté. Ce nain abominable donnait froid dans le dos. Mieux valait ne pas l'approcher.

« Oh oui, elle se l'est fait voler, son enfant. Pour de la laitue, elle l'a perdu ! » avait-il pouffé, excité et trépignant, excessif et dangereux, sans distraire l'attention du groupe.

Rien. Des statues. Des autistes. Aucune réaction. Des regards fixés ailleurs. Des êtres sans vie, sans âme, absents. Des carcasses abandonnées.

Le silence encore.

* * *

Une fille sans maman et une mère sans enfant.

Encore des paraboles. Rien à comprendre dans cette histoire. Que des énigmes.

Une fille sans maman et une mère sans enfant. Un nain anonyme qui ramasse de la pyrite au bord de la voie ferrée. Un détective américain qui parle français sans accent. Des prospectus sur feuille lignée et des contrats en langue étrangère.

Les affabulations des rameurs éclopés. Des invraisemblances superposées. Des inventions qui éloignaient le traducteur de la vérité, du cœur de sa propre histoire – de sa mémoire, des faits réels. Des fictions qui s'immisçaient en lui, monopolisaient son esprit, pour créer une diversion, remplacer les souvenirs, pour qu'il cesse de chercher sa femme ou sa mémoire, l'une et l'autre, indissociables dans sa tête.

Il fallait résister à l'invasion. La mémoire du traducteur était sûrement encore quelque part en lui. Affaiblie, apeurée, recroquevillée entre deux lobes, écrasée par ce monde grotesque, presque en état d'inanition. Il devait la sauver. Ignorer les rameurs, se concentrer sur sa tête. Poursuivre. Aller au bout. Abattre le mur.

Les fantômes disparaîtraient comme ils étaient venus.

Résolu à ne plus s'occuper d'eux, le traducteur se tourna vers l'ordinateur : baissant les bras, soulagé, sans rien précipiter, il penserait à la femme d'avant, tranquillement, tout doucement, avec nostalgie, pour amadouer ses souvenirs, pour leur faire croire au calme ambiant, à la paix retrouvée.

Assez perdu de temps, assez divagué, assez nagé dans leur délire, le traducteur ignorerait les rameurs, comme eux-mêmes l'ignoraient en ce moment.

« C'est ça, ne vous occupez plus de nous. Travaillez. Faites comme si nous n'étions pas là. En définitive, nous ne sommes pas là. Nous n'existons même plus. »

Une voix faible et flûtée, un chuchotement, une pensée fugitive, que le traducteur choisit d'oublier.

Deux cartes à jouer posées sur le clavier de l'ordinateur. Encore une beige et une bleue, une tranche dorée et un canard colvert en plein vol. Encore ce jeu, toujours sans but.

Impassible, la fillette attendait aux côtés du traducteur, concentrée sur les bouts de carton incandescents qu'elle laissait tomber dans le cendrier hawaïen.

Toujours ce jeu, encore ce jeu. Une autre de leurs histoires. Le jeu de la carte beige et de la carte bleue. La beige ou la bleue. La bleue ou la beige. Piger ou oublier ?

Quoi faire encore ? Toujours les rameurs, encore leurs histoires. N'avaient-ils pas dit qu'ils n'existaient plus, qu'ils n'étaient pas là ? Rameurs menteurs. Le traducteur s'était pourtant promis de ne plus les écouter, de ne plus se laisser prendre. Apprivoiser sa mémoire, lui accorder tout l'espace de sa tête. Empêcher les histoires de s'infiltrer ; barrer le chemin aux interrogations. Ignorer les rameurs et ce voyage improbable.

Mais si ce qu'il voyait était la bonne histoire ? Si la vérité se cachait derrière les divagations, le réel au cœur de l'invention ? Si cette carte résolvait l'énigme ? S'il s'agissait de la clé ?

Tourner une carte de peur de rater un indice. Ne rien négliger pour rescaper ses souvenirs. Était-ce le moment tant attendu, l'heure de la libération, le jour où il saurait ? La fillette lui offrait une seconde chance. La possibilité de choisir la carte beige plutôt que la bleue. Une autre chance, une dernière. Le moment ou jamais. L'instant décisif.

Inspirer profondément, ne pas s'énerver, rester calme. Cesser tout questionnement. Piger. Piger pour en avoir le cœur net et passer à autre chose. Piger pour avoir la paix. Cesser de s'enfoncer, amorcer la remontée.

* * *

La carte beige.

N'osant pas la tourner, le traducteur toucha timidement la carte du doigt.

L'oiseau en plein vol sur la carte beige.

Il se sentait si nerveux. Presque tremblant. Un peu moite. Le cœur papillotant.

La carte beige. Finalement retournée.

Trois verres d'alcool vides sur fond blanc. Une coupe de vin, un verre de bière, une flûte à champagne renversée. Une joyeuse beuverie. Après les sandwichs, la boisson : la piste du buffet se confirmait. Il ne manquait plus que le gâteau et la musique.

Complètement perdu, pris au jeu, fâché d'avoir inutilement bousculé sa tête, le traducteur n'arrivait à se souvenir de rien.

Des sandwichs, de l'alcool, un buffet. C'était déjà fait, il avait cherché : il n'avait à l'esprit aucune réception, aucun mort, aucun marié. Pas de nouveau-né à baptiser ni de prix à recevoir. Rien à l'horizon. Le vide.

Ce jeu ne menait nulle part. En quoi des sandwichs et des verres d'alcool renseigneraient-ils le traducteur sur sa femme disparue ? Comme d'habitude, comme chaque fois, c'était une invention, une diversion, tout pour meubler sa tête, emmêler ses idées, endormir son esprit. Sa mémoire resterait coincée entre le cervelet et l'occiput. Une tête en ciment, un mur inébranlable. Un jeu inutile qui n'avait réussi qu'à le perturber davantage.

S'agissait-il encore de la mauvaise carte ? La bonne avait d'abord été la beige, ensuite la bleue. Ferait-il un jour le choix qu'il fallait ? Y aurait-il une bonne carte à tirer ? Y en aurait-il une autre ?

Écrivez, écrivez sur nous !

Dans le roman du traducteur, leur histoire finissait avant le début, avant quoi que ce soit.

Elle et lui s'étaient retrouvés dans la rue, par hasard pour la femme d'avant, par dessein pour le traducteur. Que pouvait-il leur arriver maintenant ? Le traducteur avait orchestré leurs retrouvailles, les avait jetés dans les bras l'un de l'autre, pour se faire du bien, se sentir moins vide, moins seul, pour croire à une destinée, à l'émoi, à une vie qui en vaudrait la peine. Mais il n'avait pas pensé à la suite.

Face à face sur le trottoir devant chez elle, ensemble, heureux, désormais sans drame ni mélancolie, avec rien à se dire ni à partager. Avec rien à s'offrir, sinon la vie paisible des âmes sœurs.

Vides. Inutiles.

Le traducteur et celle d'avant avaient passé la journée sous les draps, à se retrouver, à se contempler. À ne pas y croire. Leurs grandes tristesses, leurs petits malheurs étalés, racontés jusqu'à l'épuisement, jusqu'à ce qu'il n'y en ait plus.

Après leur réunion, plus rien. Ensuite, la fin.

Le traducteur n'avait rien en commun avec l'autre femme. Rien pour vivre avec elle, rien à partager, sinon ses drames. Pas de quoi écrire un roman.

Elle aimait l'art, le jazz, le plein air et la politique. Un tas de foutaises. De la perte de temps. Elle était souillon, lâchait des gros mots. À la fois trop indépendante et trop collante, trop folle et trop sérieuse, incapable de choisir ses moments, impolie et trop timide, cette fille l'énervait. Bavarde ou taciturne, elle faisait tout pour le mettre hors de lui, lui taper sur les nerfs, éveiller sa cruauté.

Qu'il ait été farouchement attiré par elle, embrasé à sa seule pensée, complètement fou, aveugle au reste, cela ne valait rien. Ce n'était que du vent, de l'illusion. Le traducteur devait se rendre à l'évidence : il n'avait jamais voulu de cette fille parce qu'elle était insupportable, jacasseuse, dépressive ; désordonnée, excessive. Barbare et folle. Son opposée. Un cheveu sur la soupe, un chien dans un jeu de quilles. Chiante.

Leur relation ne pouvait exister, ne pouvait survivre. Mort-née, comme les velléités d'écrivain du traducteur. Chimère, illusion, perte de temps. Insensée comme le reste. Irréaliste, insatisfaisante, plus vide que tout. Quelque part dans leur histoire à tous les deux, l'imagination avait pris le dessus. Tout avait été magnifié.

En vérité, le traducteur et celle d'avant avaient renoncé l'un à l'autre bien avant leur séparation quinze ans auparavant. Avec les années, à force de combats, elle s'était perdue en elle-même. De son côté, il s'était laissé emporter par les tumultes et les excès de la jeunesse, jusqu'à en perdre sa profondeur, jusqu'à devenir sans relief, aussi plat qu'une femme maigre. Tranquillement, leur visage avait changé, subrepticement, sans que personne s'en rende vraiment compte. La rage avait remplacé la tristesse, la fatigue, le désespoir. Ils s'accrochaient l'un à l'autre tout en sachant qu'ils pressaient un citron sans jus.

Ils n'avaient pas d'amour.

Ce qu'ils avaient n'était bon qu'à se faire la cour, à jouer au chat et à la souris, à simuler des émotions fortes. N'était-ce pas ce que le traducteur avait toujours espéré ? Ce qui lui manquait avec sa femme ? Les déchirements, les élans de passion. Il oubliait qu'une fois les amants réunis, il fallait les séparer au risque de voir la passion se consumer plus rapidement qu'une allumette. Se repousser toute la vie ou bien passer à autre chose.

Tout finissait là. C'était la fin. Plus rien après. Plus rien.

Aucun point commun. Le néant. Le grand trou, l'abîme. Leur vie à deux n'aurait aucun sens. Au mieux, ils avaient la même essence, la même âme, mais la vie était trop exigeante, trop réelle, trop terre à terre, pour que cela soit suffisant. Rien en commun, sinon d'être tristes, mais le resteraient-ils bien longtemps dans les bras l'un de l'autre ?

Leur histoire finissait là.

* * *

Dépouillé, de retour à la case départ, le traducteur constatait d'un coup l'inutilité de ses rêves, le temps perdu et l'étendue de son vide existentiel. Cette fille n'était pas pour lui ; leur idylle n'avait été qu'un jeu, qu'une façon de se sentir vivant, de se donner du cœur au ventre, de croire à des tumultes, à du bouillonnement.

Un cœur artificiel. Une machine pour le garder en vie. De la poudre aux yeux, de la tromperie.

Une image. Une fumée. Une coquille vide, elle aussi. Une carcasse.

Cette fille n'était pas pour lui. Et puis, de toute façon, avec la maturité, après tous les désastres, toutes les années, elle ne voudrait probablement plus de lui. Elle ne voudrait plus de sa nonchalance et de sa cruauté. Dans le passé, dans un ailleurs, le traducteur avait commis des choses impardonnables.

Plus rien. Plus rien dans la vie du traducteur. Même plus de rêve ou d'espoir. Son vide s'était répandu au bout de ce qui n'existait pas, et contaminait ce qui lui donnait encore la force de vivre. Évidé, perdu dans un corps inutile, une existence creuse, le traducteur était tout juste bon pour la fourrière, le dépotoir, la fosse commune.

Pire que mort. Plus que vide. Souffrant, incroyablement mal. Désespéré, épuisé, à plat.

Son roman était mort avant conception. Tué dans l'œuf. Crevé, anéanti, aspiré par la réalité, par l'impossibilité d'une vie avec l'autre femme, par son incapacité à écrire une histoire d'amour. Par son inaptitude à être autre chose que lui-même.

Tout à coup, sans qu'il ait rien senti venir, le traducteur – submergé, inquiet, repentant – eut la subite impression de s'ennuyer de sa femme, celle du moment, celle des quatorze dernières années. Femme de tous les jours, femme d'aigreur et d'amertume.

Quatorze ans avec cette femme. Le traducteur oubliait certainement l'essentiel de leur relation. Ils avaient sans doute eu des choses à se dire, jadis, autrefois. Avant.

Ils avaient dû s'aimer. Impossible de vivre côte à côte pendant si longtemps sans amour.

Avait-il inventé sa cruauté ? Était-il celui à qui il fallait en vouloir ?

Quelque chose entre eux les gardait liés. Quelque chose de terrible. Un bourbier qui se vidait de sa propre substance. Une matière à roman. Coupable et prodigue. Dégénérée et surréaliste.

« Écrivez sur moi ! Je suis votre histoire ! Je suis votre homme ! »

Le nain jaune était toujours là. Debout sur la table du salon, débarrassée des magazines, des prospectus et des contrats, les jambes écartées, les bras en l'air, avec dans les mains un ukulélé de plastique jaune sans corde, décoré de notes de musique et de danseuses hawaïennes.

Tous, ils étaient toujours là. Dans les fauteuils et sur la moquette, immobiles, dans la même position que tantôt. La femme squelette s'était jointe au groupe sans que le traducteur s'en soit rendu compte. Pourtant, elle se trouvait tout près de lui, assise sur un pouf, au pied de la fillette noircie.

« Écrivez sur moi ! Arrêtez de perdre votre temps avec des histoires d'amour à la gomme : elle m'aime, je ne l'aime pas et patati et patata. Snif ! Snif ! Nous sommes si différents ! Ouin ! Ouin ! Je ne sais pas quoi faire. Ô malheur ! Force divine, force du ciel, aidez-moi ! Aaaah, comme je souffre ! La tristessssse ! L'amoouuur ! Je pense oui, je pense non ; elle est pour moi, elle ne l'est pas. Je suis un pauvre type. Bou ouh ! Bou ou-ouh ! » D'un ton enjoué, comique, plein de bonne humeur, presque enfantin, le nain faisait son numéro.

Un tout autre nain, soudainement sans vraie méchanceté ni défiance. Souriant, exagérément joyeux, implorant théâtralement le traducteur. Un petit acteur, une caricature, enchaînant mimiques et clowneries. Tout en parlant et faisant semblant de jouer du ukulélé, il tentait de danser la polka, mais ne réussissait qu'à entremêler ses pieds. Une danse impossible. Ridicule et désespérante.

Disparu le nain pervers !

Mais que faisait-il dans sa tête ? Encore le hasard ? Trop de coïncidences. Troublé, choqué, quelque peu frissonnant, le traducteur sentait qu'il se brisait.

Comment le nain avait-il pu deviner ses pensées ? Comment savait-il pour celle d'avant ? Rien pourtant n'avait été dit. Le traducteur n'avait même rien écrit. Tout était resté à l'intérieur, bien à l'abri dans sa tête.

Ce nain jaune avait des dons.

* * *

C'était donc arrivé, ça y était. Le guet-apens. La folie tant redoutée, toujours sue. Le pas avait été franchi.

Mais à quel moment ? À quel moment est-ce que tout avait basculé ? Quel était le tournant, l'instant déterminant, quand le traducteur s'était-il laissé sombrer ? Quand avait-il abandonné le combat ?

Sa femme, toujours. Sa femme au centre du drame. La cause de tout. Le cerveau de l'affaire, le diable en personne. Sa femme qui l'avait rendu fou à force de ne plus l'aimer, à force d'être cruelle. À force de tout ce qu'elle était. Quand cela finirait-il ? Quand aurait-il la paix ? Il fallait mettre un terme à cette sale histoire. Il fallait que ça finisse.

Ces guignols profitaient-ils de son soliloque ou sortaient-ils tout droit de son imagination ? Étaient-ils au courant de tout ?

Les rameurs abusaient de sa détresse, lui montaient un bateau, tentaient de le faire dérailler un peu plus. Calculateurs et cruels, ils profitaient de sa folie pour l'envahir, aggraver son état, entremêler les fils. Ils étaient là pour en finir.

Pour aller jusqu'au bout, jusqu'au jugement dernier.

* * *

Sa folie avait fini par tout lui prendre. D'abord, sa femme et sa mémoire, puis son travail et ses rêves d'une autre vie. Elle le laissait démuni. Sans inspiration ni génie. Fou à lier et vide de tout.

« Vous n'êtes pas fou. Vous ne parlez pas seul. Tout est à l'intérieur, tout est tout simplement à l'intérieur de votre tête. »

Une voix ni grave ni aiguë, ni féminine ni masculine. Parfaitement neutre. Une pensée plus qu'une voix. Un message reçu directement dans sa tête. Une impulsion. Un sentiment.

Six personnages et une seule voix.

Tout est à l'intérieur.

Tous là. Toute la bande de rameurs dans sa tête. En lui. Grouillants, fourmillants, agités, affamés. Pas étonnant que sa mémoire se soit sentie opprimée.

Tous là, au fond de lui, derrière ses yeux, grondants et grinçants, frénétiques, le menton dégoulinant, l'haleine encore pleine de sa mémoire dévorée.

Comment cela se pouvait-il ? Le traducteur avait-il affaire à un congrès de médiums ? À des bêtes de foire en cavale ? À des extraterrestres ?

Encore du mystère. Jamais de vrai répit.

Ces rameurs étaient sans doute le produit de son imagination. Les compléments de sa détresse. Menacé, le traducteur avait inventé une histoire de voyage pour se remplir l'esprit et faire oublier les drames de sa vie. Ils n'existaient que dans sa tête. Le traducteur les utilisait pour se mentir, se cacher la vérité sur sa femme. Sa mort horrible ou la fin de leur vie de couple. La fin de tout, sa propre mort, son impuissance. Sa folie.

Totalement fatigué et tellement fou.

« Écrivez sur moi ! »

Le livreur jaune en remettait. Sans trace de méchanceté, sans lueur de perversité, un nain frétillant dans le salon du traducteur, sautant à pieds joints sur la table, essayant d'attirer l'attention avec son ukulélé sans musique.

« Écoutez-moi. Écoutez-moi tous. Écoutez mon histoire. Je ne suis pas aussi mauvais que vous le croyez. Je n'ai tout simplement plus d'âme. Je suis un démuni de l'âme. »

Encore des fabulations. Encore, toujours plus creux.

À part le traducteur, personne ne réagissait. Le nain battait l'air de ses bras minuscules, comme un chef d'orchestre, un nageur olympique, un moulin à vent. Il avait beau lancer des cris de bêtes – de vache, de serpent, d'âne, de coq, d'écureuil –, rien n'y faisait, personne ne lui prêtait attention.

Un cri effroyable de porc qu'on égorge.

Sans écho ni auditoire. Rien. Personne à part le traducteur, plein d'effroi.

Un nain jaune : un concentré de solitude. Entouré, piégé, complètement abandonné. Mort de l'intérieur. Seul. Aussi mauvais que le traducteur, aussi coupable que lui. Cruel, jamais assez repentant. Incongru. Ignoré. Déformé.

* * *

Il ne suffit que d'une toute petite pensée, que d'une faiblesse, une ouverture de la part du traducteur, pour que, d'un coup, le nain redevienne envoûteur, conquérant, séducteur.

Malicieux.

« J'ai eu une âme, jadis. Une belle âme bleue pleine de papillons et de brume, commença-t-il, en se trémoussant et en agitant les doigts pour imiter des ailes. Une âme expansive. Tendre et fofolle à la fois. Profonde et désespérée. Une âme suicidaire. Un petit grisou. Une vapeur froide. Mais ce temps est révolu. L'homme devant vous n'a pas d'âme. Je suis grotesque et désâmé. Voyez la belle histoire, rameur numéro huit. C'est beaucoup plus émouvant, plus noble, qu'un homme sans femme. Pensez-y ! »

Il marqua une pause, se mit un doigt sur la lèvre inférieure, coquin. Un enfant se donnant en spectacle.

Curieux, mais privé d'attentes, le traducteur ne dit rien. Cette histoire – inutile, puérile, idiote, inventée – ne l'aiderait pas à aller mieux. Ses problèmes prenaient racine ailleurs. Dans le vrai, dans le drame. Complaisant, il allait laisser le nain terminer son récit, puis trouverait un prétexte pour les mettre dehors, toute la bande, tous autant qu'ils étaient. Le traducteur n'avait plus de temps à perdre, ces gens ne lui redonneraient pas sa vie perdue.

Paniqué, mécontent, un peu plus mauvais déjà, le nain intervint promptement : « Non, non ! Nous sommes pareils ! Nous avons la même histoire. Je n'invente rien. Je me sens vide. Vous aussi. C'est vide là-dedans, viiide ! Vous êtes complètement creux, mon vieux ! » Les deux mains sur le cœur, il plissait le visage comme s'il allait pleurer.

« Vous vous remplissez d'histoires et de fabulations. Je comble le trou comme je peux : de préférence avec des âmes d'animaux. Je suis multiple, je suis sans moi. Autre. Vous n'avez plus de vous. Écrivez sur moi ; vous écrirez sur vous ! Je suis fabriqué avec des âmes de bêtes mortes sur l'autoroute. Faufilées ensemble, elles composent une pelisse pourrissante que je porte sur ma carcasse. Je suis un spectacle horrible. Je suis couvert de vermine, tapissé de mort. Je jappe, miaule, hurle, hulule, pour ne pas être seul, pour être moins triste. Pour m'occuper et oublier. Vous êtes un tissu d'histoires ; moi, je pue la charogne. »

* * *

Nain bonimenteur.

Divagations. Une histoire de rameurs. De l'invention. Du farfelu. Encore du n'importe quoi. Un autre récit dans l'esprit surpeuplé du traducteur fatigué, déçu, las d'être la victime.

Où était le vrai ? Il fallait réapparaître. Crever la surface. Retrouver le réel. Revivre le drame si c'est ce que cela prenait. Sortir enfin de ce cirque. Une fois pour toutes, reprendre l'existence. Il faudrait bien en finir un jour, émerger du tourbillon, sortir du gouffre du maelström. Resurgir. Accepter ce qui était sien. Sa vie, la fatalité.

Abattu, épuisé, vidé, le traducteur n'en pouvait plus de perdre son temps avec les rameurs. D'une façon ou d'une autre, il devait sortir de cette histoire, prendre le dessus, briser l'envoûtement.

« Vous pourriez raconter le jour où j'ai perdu mon âme. Comme ça, dans la rue, j'ai reçu un coup terrible sur la tête, un peu comme Cyrano, sauf qu'il s'agissait de la glace. Lasse de moi, écœurée de mes mauvais tours, mon âme a profité de mon inconscience pour ficher le camp, devant les badauds, devant l'attroupement, me laissant tout petit, tout jaune et tout sanglant, tout nu dans la neige sale de février. »

Une seconde, le nain se débattait comme si sa vie ou son salut en dépendait, s'excitait devant le traducteur, gesticulant fiévreusement, postillonnant en parlant et en riant ; la seconde d'après, il s'effondrait sur la table du salon dans un geste théâtral, vaguement mort, immobile, éteint.

Une marionnette sans main. Un pantin disloqué.

* * *

« Écrivez sur moi ! »

Au tour de la femme sans jambes de prendre la parole, exaltée, fébrile, debout sur ses moignons, revenue de chez les morts.

« J'ai une histoire pour vous. Bien meilleure que celle du numéro quatre ! Écrivez plutôt sur moi, sur vous, sur nous deux. Vous et moi. Monsieur, j'ai une âme comme tout le monde, mais je n'ai pas de jambes. Vous vouliez du réalisme, du poignant, je vous en donnerai. »

Pourquoi voulaient-ils tous faire partie du roman d'un écrivain sous-doué, sans talent ?

« Écrivez sur moi, implora la femme sans jambes de sa voix flûtée et éteinte. Je suis née sans jambes et j'ai été heureuse ainsi jusqu'au jour où la vie a pris le dessus, où j'ai voulu aimer un homme. »

Elle laissa planer un silence. Autour d'elle, les rameurs continuaient à jouer les statues.

« J'ai exigé des jambes à mes parents. Deux belles prothèses. Des piliers bien huilés qui m'ont conduite jusqu'à lui. Je vous épargne les détails. Puisque c'est vous l'écrivain, vous les créerez à votre goût. Vous nous inventerez une passion. »

Elle oubliait que le traducteur ne savait pas écrire sur l'amour, qu'il ne savait même pas l'imaginer, le faire vivre en pensées. Elle oubliait son échec à être autre chose.

« Nous avons vécu un drame semblable. Écrivez sur moi, vous écrirez sur vous. »

* * *

À vif, aussi démoli que son visage, aussi défait, le traducteur se tenait la tête à deux mains. Les confidences de la femme sans jambes réveillaient quelque chose en lui. Il sentait sa mémoire – dans un soubresaut, un espoir de survie, un instant de lucidité – frapper du poing sur les parois de son crâne, lui égratigner l'arrière des yeux, lui labourer les hémisphères.

La femme sans jambes le chavirait. Il devait fermer les yeux à tout prix, se libérer de ce regard presque blanc.

« Oubliez l'histoire du numéro quatre. Vous ne pouvez pas comparer son drame au mien. Au vôtre. Le sien est contrefait, calqué sur un conte de rameurs. Une bêtise. La prétention de se créer une profondeur. Un drame falsifié. »

Se laisser tomber au sol, s'abandonner complètement comme l'avait fait plus tôt le nain jaune. Pour faire cesser la douleur, mettre fin aux énigmes, au vrai, au faux. Flotter. N'être nulle part : libre de toute décision, de tout regret, de toute urgence. En apesanteur. Dépouillé, propre, sans poids ni pensée. Impassible. Comme après des électrochocs. Neuf et nonchalant.

« Écoutez. Écoutez-moi. C'est pour votre bien. Je vous raconte l'essentiel, le reste viendra de vous. Vous êtes l'écrivain, mon histoire sera la vôtre. Ne voulant que mon bien, rongés par la culpabilité, mes parents m'ont offert les jambes que je réclamais. Deux belles jambes de plastique qui me transformèrent, me rendirent muette, me dépossédèrent de ce que j'étais. Chaque pas posé me donnait l'impression de marcher sur de la vitre. Sur des lames de couteau, des rasoirs, des cailloux. »

Son regard, si cela était possible, se fit encore plus transperçant, aussi coupant que des lames de couteau, des rasoirs, des cailloux.

Infiniment triste.

« Je l'ai quitté, poursuivit-elle de sa voix murmurée, j'ai laissé mes jambes au terminus d'autobus, puis je me suis effacée de la vie sans consistance que le monde m'avait imposée. »

Émue et ébranlée, elle paraissait sur le point de pleurer, mais ses yeux étaient secs, sans larmes ni rougeur.

« Écrivez sur moi, implora-t-elle, écrivez l'histoire de la rameuse numéro cinq. Quasiment la vôtre. Je vous aiderai à la rendre crédible. Vous ressentirez ce que je ressens. Le drame sera réaliste. »

* * *

« Donnez-moi une seconde chance », plaida le livreur jaune sortant des limbes, se balançant frénétiquement sur le tabouret laissé libre par le colosse disparu.

Jamais de répit dans la tête du traducteur. Les monologues s'enchaînaient, les drames s'inventaient.

« Écoutez-moi une dernière fois. Je vais vous dire la vérité. Vous allez connaître ma vraie histoire. Il y a de vous dans mon récit. Vous êtes comme moi : seul au monde, cruel, peureux, faible, indécis.

« Voyez-vous, je n'ai pas eu le courage de mourir. Je suis resté vivant, assommé dans mon banc de beige, sanguinolent. Sans âme, j'existais quand même. Tremblant. Perplexe. Déçu de ce que j'étais. Je suis comme vous, vous êtes comme moi. Nous avons peur de mourir. Au moment ultime, j'ai ravalé ma mort comme d'autres ravalent leurs vomissures : par angoisse, par panique, par peur de l'inconnu. Incapable de faire face au vide absolu. Conscient de ne pas avoir été à la hauteur.

« J'espère que la mort n'est pas un clone de la vie. Sinon je resterai ce que je suis. Mettez ça dans le livre que vous n'écrirez pas, marquez-le dans votre tête, gravez-le sous votre pied, où vous voudrez, mais souvenez-vous : *le nain jaune a peur de rester ce qu'il est : un lâche pour l'éternité.*

« Nous sommes des fantômes. Nous vivons toutes les peurs : peur de mourir, de rester seuls, d'être nous-mêmes, inchangés. Nous sommes paralysés. Morts ou vifs, des deux côtés, la peur nous attend. »

Le traducteur sentit la peur déferler et s'abattre sur lui en vagues de folie.

« Je n'en peux plus de vivre dans l'indifférence générale, poursuivit le nain, la mine basse, la voix pleine de regrets, réellement triste ou simulant parfaitement le chagrin. J'ai besoin du regard des autres pour me dire qui je suis. Je vis dans un univers d'aveugles et de sourds qui ne me voient pas dans les rues, n'entendent pas mes offres de richesse, ne font que frôler le prospectus que je leur tends. Seul, foutu de bon Dieu, je suis seul. Je n'ai pas de nom parce que je n'ai pas d'existence.

« Écrivez. Écrivez sur moi. Faites-moi vivre quelque part. Écrivez votre peur à travers moi. »

Le laisserait-on un jour tranquille ? Le traducteur n'écrirait ni sur l'un ni sur l'autre. Leurs histoires le troublaient, éveillaient des sentiments emmêlés comme une tignasse ébouriffée. Elles l'accablaient, lui donnaient l'impression d'approcher de la fin, d'être au seuil de la mort.

Le colosse et le jeune suicidé

D'abord, un jeune homme. Immobile au milieu de la rue. La tête couchée sur l'épaule, les bras pendants, l'air désorienté, la bouche entrouverte, l'œil hagard, figé, fixé. Somnambule.

Un enfant timide. Un échappé de l'asile. Un chien à la porte d'une boutique. En attente devant la maison. Un de plus. Drapé dans une cape rapiécée, sous laquelle il portait un pyjama de flanelle blanc à rayures vertes, l'homme aux yeux cernés et au teint pâle, à la barbe forte et aux cheveux en bataille semblait – comme le traducteur et le colosse, comme tout un chacun – avoir passé une mauvaise nuit.

« Le rameur numéro sept est un suicidé, le renseigna le nain jaune en tapotant nerveusement son ukulélé sans voix. Mieux vaut ne pas vous occuper de lui, ne pas vous en approcher. Il n'est pas bien. Il fabule. Un vrai de vrai fou : malade, paranoïaque... N'écoutez pas ses histoires. Il n'a rien de bon à raconter. Rien de vrai. Tenez-vous à distance et tout ira bien. »

Encore de l'impossible, toujours de l'intrigant.

Le numéro sept. Le dernier rameur avant lui. Celui-là gardé de force par la vie. Un réchappé. Un cadavre étonné de se retrouver du côté des vivants, ne sachant que faire de sa deuxième chance. Hébété au milieu de la rue, attiré par l'odeur, venu par instinct.

Un éclopé de plus dans le canot surpeuplé de malheurs.

* * *

Trois êtres unis dans un seul mouvement. La femme maigre, la ballerine et la fillette regardaient l'homme dehors en secouant vigoureusement la tête, inquiètes, conscientes du danger, épouvantées par la menace, par ce qui allait se passer.

« C'est un fou ! Un dangereux ! Ne le laissez pas entrer », le prévint la femme sans jambes, fébrile, frôlant l'hystérie, convaincue que le traducteur avait le pouvoir d'empêcher le pire de se produire.

Encore, toujours, plus.

Pourquoi les rameurs ? Pourquoi un suicidé parmi eux ? Un végétatif subversif. Pourquoi l'emmener ramer s'il était fou à ce point, s'il risquait de décapiter tous les membres de l'équipage ?

« Ce n'est pas ça, murmura la femme sans jambes, cette fois les yeux fermés et les mains jointes en prière. Il a une folie contagieuse, hautement transmissible. Destructrice. Mais tout sera fini une fois que nous serons à bord du canot et que nous aurons nos rames. Nous serons sauvés, libres. »

L'histoire s'accélérait, pressait le pas vers la fin, dans l'ordre ou le désordre, par des raccourcis ou des détours. La fin, bientôt.

Jusqu'à présent, les rameurs n'avaient réussi qu'à déranger le traducteur, qu'à le rendre encore plus fou, l'embourber, le perdre. Le manipuler, l'asservir. Le jeune homme paraissait différent des autres. Était-il enfin celui que le traducteur attendait ? Celui qui lui dirait la vérité, qui le remettrait sur le droit chemin.

L'homme dehors était peut-être enfin *Celui.*

Une lueur d'espoir. Une autre possibilité.

Devait-il se révolter et exiger ? Qui empêchait le traducteur d'aller rejoindre le jeune suicidé ? Qui ? Qui l'empêchait vraiment ?

« Cet homme est complètement fou ! Ne vous en approchez pas ! C'est un kidnappeur, un envoûteur de rats. Vindicatif... Le diable fait musicien ! » aboya le nain – l'écume aux lèvres, féroce, catégorique – avant de faire volte-face, avant de se tourner vers le groupe, souriant, absolument faux ou maladivement fou :

« Enfin, nous voilà tous ! » beugla-t-il, hors de lui, artificiel, nerveux. En sueur, sur le point d'exploser.

Revirement de situation. Le sprint final. L'histoire en accéléré, au pas de course.

Le nain jaune tentait de détourner l'attention du traducteur, de lui faire oublier le nouveau venu. Le tout pour le tout.

« Chers rameurs et rameuses, nous voici tous réunis. Je nous présente donc officiellement les uns aux autres. Dans l'ordre, si vous le voulez bien. »

Il les nomma un à un, du premier au dernier rameur : le colosse, la femme squelette, la fillette, lui-même, la femme sans jambes, la ballerine, le suicidé et le traducteur.

Huit rameurs. Le traducteur, dernier du lot. Pas de numéro neuf. Pas d'Américain dans le canot. Un sourire cruel. Vengeur. Noir. Un sourire de nain sadique. De carcajou. Plein de sang et de chair morte. Lacérant et sans merci.

« Le départ est pour demain. L'Américain passera nous chercher. N'oubliez surtout pas de signer le contrat », annonça-t-il, triomphant, foudroyant, assoiffé. De nouveau lui-même.

Quelques phrases à peine suffirent pour replonger le traducteur dans la terreur. Le neutraliser, lui ôter l'envie de se révolter.

Et puis, la carte beige et la bleue. Encore les colverts en volée. Le décompte vers la fin. Deux autres cartes dans la main noire, rouge, bleue, mauve, blanche de la rameuse numéro trois. Toujours les cartes. Une fois, deux fois, trois fois. Le même jeu pour les mêmes histoires.

Toujours. Le récit suivait son cours dans l'univers des rameurs sans que personne puisse l'empêcher d'atteindre son but, de connaître son dénouement. De foncer de plus en plus vite vers sa cible.

Demain, le départ.

Prisonnier du tourbillon, le traducteur refusa les cartes du revers de la main. Les histoires devaient cesser. La vérité se trouvait ailleurs. Traqué par l'étrange, pris entre ses griffes, il n'avait plus le temps de jouer. Plus le goût, plus la force. Inutiles, épuisantes, ces cartes n'avaient aucun sens. Le traducteur était déjà bien assez rempli. Sa tête amnésique faisait salle comble.

Il fallait que tout cesse, que les rameurs rentrent chez eux, que l'auto soit dans l'entrée, que la vie retourne à ce qu'elle était avant l'amnésie. Combien de fois le traducteur devrait-il le répéter ? Combien de fois devrait-il penser les mêmes choses ?

Il était temps d'affronter la fin, la vérité, le monde réel. Qu'on lui rappelle le drame. Qu'on lui dise tout plutôt que de l'emmener ramer. La réalité sans artifices, sans précautions ni mensonge.

Ou bien tout effacer. Reculer les pendules. Reprendre l'existence où il l'avait laissée. Le traducteur voulait la paix et la fin de ce cauchemar interminable. Il voulait s'installer au salon avec une bière mousseuse et des bretzels pendant que sa femme chercherait la télécommande ; pendant qu'elle lui préparerait à dîner.

Le jour prit fin sans que le traducteur en ait conscience. D'un coup, il se retrouva plongé dans l'obscurité, les yeux fixés sur l'écran noir de l'ordinateur, assiégé par les bruits du dehors, tiraillé par la faim.

Les événements du jour, l'appréhension du lendemain, les questions sans réponse.

Les cartes de canards. Sa femme disparue. Celle d'avant.

La page blanche et le curseur clignotant.

Le départ imminent. Que construisaient les rameurs ? Où iraient-ils en canot ? Le traducteur, trop peureux pour regarder dans la cour arrière, allait-il trouver le courage de s'enfuir, de refuser de monter à bord ?

Rongé, affamé, hagard, il hésitait à aller se préparer un sandwich à la cuisine, effrayé à l'idée de ce qu'il pourrait y découvrir.

Les sandwichs de la carte bleue… Les verres d'alcool de la carte beige… Des indices ? Des signes ? Les esquisses d'un souvenir du drame.

Sa femme était-elle étendue ivre morte sur le linoléum jonché de verres d'alcool vides ? Il imagina la scène : une femme au visage flou et aux cheveux bruns bouclés couchée par terre, complètement soûle, froissée, déboutonnée, pathétique, endormie le sourire aux lèvres dans ses vomissures à demi sèches.

L'absence. Son odeur absente dans les pièces de la maison, vidée de ses cris, de ses soupirs, de ses sanglots et de ses plaintes. La disparition de sa cruauté, de sa force, de ses ondes – rien qui ne fasse bouger les rideaux des fenêtres et tomber les cadres des murs. Rien pour faire fuir les oiseaux et sursauter les chats. Aucune trace de cette femme. Femme de barbarie et de famine. Pyromane, esclavagiste, vampire.

* * *

Depuis combien de temps ? Depuis combien de temps n'avait-il pas passé de nuit blanche à écrire ? Depuis combien de temps n'avait-il pas été libre dans sa tête ? Le traducteur n'avait pas fait tout ce qu'il aurait dû faire. Pas même le quart. Presque rien. Combien de fois devrait-il se le répéter, se lamenter, avant que les choses changent ? Avant la reconquête ?

Une existence laissée intacte. Inhabitée. Un renoncement de tous les instants, de tous les plaisirs. Une absence plus qu'une vie.

Ensuite, le colosse. Entouré d'ombre, perdu dans la nuit. Matérialisé sur le trottoir, sorti de nulle part, dans la lueur vacillante d'un lampadaire.

Exécutant une danse macabre, remplie de violence, suscitant fascination et terreur. Un combat plus qu'une danse. Un ballet schizophrénique. Un tourbillon, une spirale, encore, toujours, le gouffre du maelström. Un torrent.

Enroulé dans le rideau du salon, le traducteur assistait au spectacle : le ballet prit son envol, s'endiabla, s'accéléra, se mit à tourner. Pressant la cadence, mais toujours avec souplesse, le colosse porta cent fois ses mains à son front, à son ventre, à ses jambes. Encore et encore, comme pour se protéger de coups invisibles.

Un bombardement. Une main après l'autre. Au front. Au ventre. Aux jambes. Une main, deux mains. Une main après l'autre, deux mains en même temps. Au front, au ventre, aux jambes. En suivant la cadence, en respectant le pas.

La chorégraphie d'un danseur possédé. Du théâtre, de l'illusion. Une main au front, au ventre, aux jambes. Au front, au ventre, aux jambes. Encore et encore. Toujours et encore. Dans le silence, sans une goutte de sang. Une main. Deux mains.

Au front. Au ventre. Aux jambes. Encore. Toujours. Plus. Au front, au ventre, aux jambes.

Avec la même énergie, le même désespoir. Désarticulé et muet, à bout de souffle, vaincu, mais suivant le rythme et respectant le pas, le colosse resta près d'une heure à danser sous le regard ahuri du traducteur. Une main au front, une main au ventre, les bras au ciel, le corps plié, brisé par la douleur. Une heure à se tenir le ventre, à implorer les ombres, à mourir lentement. Une heure à faire semblant, avant de s'effondrer pour de bon, comme le nain avant lui. Sens dessus dessous. Seul et assassiné. L'oiseau disparu de sa poche.

* * *

Effrayé, déboussolé, en pleine fantasmagorie, le traducteur envisagea un instant de venir en aide au colosse. Peu importe s'il s'était agi de vrais coups ou non, d'assaillants de chair ou imaginaires, cet homme avait besoin de secours, d'une main dans ses cheveux humides, de paroles insignifiantes, d'un peu de tromperies sur la vie. Une présence faussement rassurante, un semblant de baume.

Mais le traducteur ne sortit pas. Sans raison, sinon par habitude et couardise, il resta où il était, caché derrière sa vitre, immobile, fidèle à lui-même : sec, ridé, calamiteux, lâchement en marge de l'existence, rempli de mensonges, incapable d'amour pour les autres, sans poing ni pancarte à brandir, égoïste, stérile, bien de son temps, cependant toujours convaincu qu'il n'était pas de ceux-là. Dévoué en paroles, justicier de salon, le traducteur ne sortirait jamais dans la rue. Prétextant un manque de temps. Par paresse. Par insensibilité.

* * *

« Tous les soirs à la même heure, il arrive et s'adresse à quelqu'un, ou à quelque chose, tapi dans l'ombre », entendit-il derrière lui.

Une voix posée de jeune homme instruit. Une belle diction. Une voix suave. Charmante.

Entré dans la maison sans que personne puisse l'en empêcher, le suicidé était là, debout derrière le traducteur, la tête couchée sur l'épaule, les bras pendants, en pyjama de flanelle sous sa cape en courtepointe, une petite flûte de bois noir accrochée à son cou.

« Cet homme retourne au même endroit toutes les nuits depuis plus de cinq cents jours, reprit-il doucement, ignorant l'air stupéfait du traducteur. Il rejoue chaque fois la même scène horrible. Nuit après nuit, sous le même clair de lune, il reçoit les mêmes coups au front, au ventre et aux jambes. Encerclé par une meute de fantômes, le rameur numéro un – perdu dans sa tête, désespéré, impuissant malgré sa stature de géant – vit chaque soir la même douleur, le même drame. Cet homme erre hors de la vie depuis plus longtemps que nous deux. Depuis beaucoup trop longtemps. »

Un regard tendre, intelligent, bienveillant. Un rameur loin de la folie qu'on lui avait attribuée, venu faire réfléchir le traducteur, le remettre dans la bonne voie. L'aider un peu à revenir.

« Quelle que soit la saison, cet homme est frigorifié, couvert de frimas. Rongé par les souvenirs, en marge de sa vie, empêtré dans son corps, il laisse chaque matin derrière lui la même flaque rouge sur la neige claire. Raidi par les coups, sans liberté sauf celle du cœur, le premier rameur vit son drame en pensée. Jour après jour, prisonnier du même soir de décembre. Un loup-garou malgré lui.

« Comme lui, si vous restez ici trop longtemps, votre drame finira par vous rattraper. Chaque nuit, vos plaies se rouvriront en suivant fidèlement la même séquence d'événements. Chaque nuit, vous entendrez le rire lugubre, le grand cri. »

L'impression d'une présence. Une vague odeur de cigare. Un courant d'air. Des voix étouffées.

La vérité, le drame, la violence, tout près. À deux pas. Derrière la porte, dans la cour arrière, sur le toit de la maison. Au coin de la rue, au bout de l'entrée, fonçant droit sur lui.

Ils arrivaient. Couverts d'horreur, sanguinaires, affamés, les rameurs venaient obliger le traducteur à partir. Comme une bande d'assassins, une horde de bandits, ils approchaient, armés jusqu'aux dents, prêts pour le pillage, préparés à tuer. Il n'entendait que leurs grincements de dents et leurs pas dans la nuit.

Plus rien comme avant, plus rien comme la veille. Tous mauvais, tous sous l'emprise de sa femme ou de l'Américain. Démontés, déchaînés, houleux, venus empêcher le suicidé de dévoiler son plan, d'offrir au traducteur une autre perspective.

Toujours aussi calme, le jeune homme saisit fermement le bras du traducteur – terrorisé, paralysé d'effroi – pour le forcer à l'écouter, à se concentrer, à ne plus penser à ce qui approchait. Le traducteur savait. Il savait ce qui s'en venait.

« Je vous propose de laisser tomber les rameurs, de retourner et d'affronter », lui confia le suicidé, ignorant la tempête, comme inconscient de la menace. « Je vous offre de choisir : si vous décidez de ne pas monter, j'en ferai autant. Vous ne risquez rien, ils auront un nombre pair. Le voyage sera simplement plus pénible, plus long de quelques mois. Je m'en remets à vous. La décision vous appartient. »

Des voix dans la nuit, autour de la maison, près des fenêtres. Méconnaissables. Des grognements et des cris. Des paroles indistinctes.

Un grattement sur le toit, une odeur de cigare. Un hurlement. Six fantômes et une seule voix. Ils étaient là, ils prenaient place.

« Vous avez le choix. Nous avons le choix. Nous ne sommes pas ici depuis très longtemps. Je suis presque aussi frais que vous. Tout aussi récent. Pour certains, comme le rameur numéro un, les rameuses deux et trois, il est trop tard. Le risque est grand, le mal, répandu, quasi généralisé. Impossible de changer de cap, ils sont trop rouillés, trop cassés. Avec ou sans nous, ils doivent partir. Ils n'attendront plus. »

Des yeux noirs de bête sauvage. Un poing rageur contre la vitre, plusieurs poings rageurs contre la vitre.

Le colosse ressuscité, la femme sans jambes, la femme squelette. La grimace de la fillette noircie. Sa langue sur la vitre. Son visage de cadavre. Allongé, déformé, son visage en vapeurs. Ses griffes scintillantes.

Il les sentait, il les voyait.

Tremblant comme une feuille, au bord de l'asphyxie, le traducteur n'arrivait plus à écouter le suicidé, ne savait même pas s'il était encore là.

Des grattements sur le toit. Un poing rageur contre la porte, plusieurs poings rageurs contre la porte. Des coups de pied. Leur souffle blanc sur la vitre. Leurs yeux noirs.

Ils étaient là, et le cernaient.

Le retour de l'Américain

Trois coups secs à la porte de la maison.

Revenu à la case départ, enroulé dans les draps, le traducteur reprit connaissance à l'aube, incertain d'avoir rêvé.

Un coup.

Debout contre le mur, les yeux brûlants, la peau humide, hébété, tremblant, incommodé par l'odeur de cigare, il ne reconnut pas la pièce où il se trouvait. Jamais vue, jamais visitée ; oubliée ou inconnue : la chambre secrète de sa femme, finalement repérée, découverte.

Deux coups.

Un lit étroit. Sur les murs verts, des tigres jaunes et des éléphants bleus à la queue leu leu. Un soleil souriant et des nuages à grosses joues.

Trois coups.

Plus de cris, plus de scie, plus de coups de marteau. La voix des rameurs éteinte. Seulement le silence pesant de la fin.

Un, deux, trois coups secs à la porte de l'entrée.

L'Américain était de retour. Le moment fatidique approchait. Assiégé, terrorisé, condamné, le traducteur était incapable de penser, de bouger, de comprendre. Le moment était venu : l'homme aux yeux sans lumière passait le chercher.

Frissonnant, nauséeux, le traducteur, la tête étourdie, la vue troublée par de petites taches noires et des points brillants, sentit sa mémoire s'affoler, le frapper dans les yeux, le ruer de coups dans les tempes.

Il ne pouvait pas partir. Où l'emmenait-on ? Pourquoi fallait-il y aller ? Toutes ces histoires n'avaient aucun sens. Pourquoi ne comprenait-il pas ? Comment démêler les pistes ? Les rameurs, les cartes, leurs destins gâchés... Le traducteur aspirait à un peu de clarté. Un semblant de vérité.

Sa femme... Qu'était-il arrivé à sa femme ? En disparaissant, dans quel piège l'avait-elle jeté ? Il ne partirait pas tant qu'il ne saurait pas pour sa femme.

Trois coups secs. Trois coups de sonnette.

Le traducteur le voyait déjà : déguisé en Sherlock Holmes, appuyé sur sa canne trop longue, l'Américain au teint cireux était là, sur le perron, le contrat à la main, plein de maléfices et de pouvoirs sur lui.

En lambeaux, en charpie, mort de peur ; incapable de remuer un doigt ou de cligner de l'œil, d'aspirer l'air, le traducteur savait qu'il ne pourrait pas le suivre. Il espérait encore échapper à cette emprise, à cette force, à la créature de sa femme. Avait-il rêvé l'offre du suicidé ? Où était le vrai, le faux ? Comment savoir ? Qui croire ? À quoi se fier ?

Un coup. Deux coups. Trois coups secs à la porte de l'entrée. Un coup. Deux coups. Trois coups de sonnette résonnant dans la maison. Un grincement de porte, un bruit de canne sur le parquet. Des pas lourds. Des craquements dans l'escalier.

La mort prête à attaquer, à fondre sur lui, à l'abattre. La fatalité annoncée. Le moment, l'heure, la fin.

Plus rien, plus rien comme avant. Plus de femme, de vie ou de roman. Plus rien... Plus rien à chercher ni à espérer. Que la rancune et la tristesse. La preuve de son impuissance formée en boule, fonçant droit sur lui. La force de ses échecs dirigée contre lui, canalisée, déterminée à anéantir le maître, le géniteur, le responsable de tout.

Nulle part où fuir. Le corps du traducteur ne répondait toujours pas aux commandes. Incapable de bondir hors du lit, de se réfugier quelque part, le rameur numéro huit restait bien assis, adossé aux oreillers, tétanisé, les yeux grands ouverts, la bouche sèche. Épouvanté.

Une seule obsession lui trouant la tête : où donc était sa femme ? Que lui était-il arrivé ? Que lui voulait-elle ? Pourquoi cherchait-elle à se venger de lui ? Un peu de vérité, c'est ce qu'il demandait, un peu de vérité avant de partir avec les autres rameurs.

Des bruits de pas, des cognements de canne dans le couloir. Une odeur sucrée. Un toussotement. Le moment, l'heure, la fin.

Un bruit de poignée que le verrou empêche de tourner. Des paroles étouffées. Des jurons. Un coup de pied.

Le tournant. Le sursis tant espéré. L'espace de temps pour se souvenir, réhabiliter sa mémoire. Le moment ou jamais d'ici à ce que l'Américain trouve la clé.

Le traducteur pourrait-il enfin libérer la vérité ? La laisser sortir de sa tête, naître au grand jour, fuir le tortionnaire ?

Il ne s'en irait pas sans avoir retrouvé sa mémoire.

Les colverts de la volière

Au-dessus du jardin flottait un immense canot d'écorce fixé à des pneumatiques, avec à son bord – deux par deux, la rame à la main – le colosse et la femme squelette, la fillette noircie et le nain jaune, la femme sans jambes et la ballerine. Personne à l'arrière. Encore deux places libres.

Resté en bas, à côté du bassin d'oiseaux servant d'ancre à l'engin, le suicidé attendait dans sa posture habituelle, le regard pointé vers le rideau de la petite chambre d'enfant, les paupières plissées, ébloui par le soleil.

Toujours, encore, plus. Un canot volant. Un pacte avec le diable. Toujours, encore, plus, plus, plus. Aucune logique, rien de banal. Jamais de fin, toujours l'enfoncement. Le traducteur ne s'en sortirait pas sans séquelles.

Quelle était la destination des rameurs ? Mars, Pluton, le mont Olympe ? Pour ces déboussolés de la vie, quel gouvernail les aiguillerait ?

Pourquoi ? Le mot clé de l'histoire. Pourquoi toute cette folie ? L'impossible ? Les énigmes ? Pourquoi s'acharner ainsi sur le traducteur ? Lui en vouloir autant ? Pourquoi devait-il payer à ce point ? Quel était donc son crime ?

À cheval sur deux mondes, vide, sans réalité, le traducteur n'arrivait plus à démêler les histoires, à prévoir quoi que ce soit.

Jamais rien sauf l'enfoncement. La voûte, le trou noir. L'abîme qui assimilait froidement le traducteur, faisait de son âme la sienne, mêlait leurs noirceurs.

* * *

Comment cette histoire se terminerait-elle ? Le traducteur se réveillerait-il tout bonnement dans son lit ? En pleine fièvre à l'hôpital ? Sanglant dans une fosse ? Le poison administré par sa femme accomplirait-il son œuvre ? Les médicaments lui redonneraient-ils la lucidité ?

Rien de cette histoire ne pouvait être vrai ! Comment avait-il pu se laisser entraîner si loin ? S'enfoncer autant ?

L'Américain arriverait-il à faire sauter les gonds de la porte ? À pénétrer dans la chambre d'enfant pour traîner le traducteur par les cheveux jusqu'au canot ?

Un début de remontée. Une lumière diffuse laissant deviner la surface.

Les deux premières clés de l'énigme se trouvaient dans la petite bibliothèque blanche de la chambre verte. Parmi les albums cartonnés, les abécédaires et les livres de comptines, le traducteur trouva un épais recueil de contes aux pages cornées et jaunies, aux images décolorées, à l'odeur familière de moisissure et de tabac froid.

Un gros livre surgi de l'enfance du traducteur, plongé au beau milieu de sa vie d'adulte, au cœur de son délire d'homme terni, vidé, déçu.

Huit morceaux de carton, huit cartes à jouer, servaient de signets insérés entre les pages du vieux recueil posé à plat sur ses genoux.

Les mains tremblantes et la bouche sèche, il ouvrit à la première page marquée, saisit la première clé. Une carte beige, ornée d'une tranche dorée, sur laquelle figurait un canard colvert en plein vol, qui, comme la carte bleue du début, révélait un sandwich au fromage et à la laitue, un sandwich aux œufs, un cure-dents planté dans une olive. Des cartes jumelles.

Le signet marquait le début du *Rossignol.* Un empereur chinois enferme dans une cage dorée un rossignol au doux chant, mais le remplace plus tard par un oiseau mécanique, couvert de diamants, de rubis, de saphirs, plus beau à regarder, qui finit toutefois par rouiller. Les années passent, l'empereur tombé très malade est sauvé de la mort par le chant miraculeux du rossignol, revenu à sa fenêtre pour lui donner espoir et consolation.

L'oiseau du colosse… Un peu de clarté dans les yeux du traducteur.

* * *

Pourquoi le colosse se cachait-il derrière un conte d'enfant ? Que voulait-il faire croire au traducteur ? Qu'essayait-il d'oublier ? Quel genre de vie souhaitait-il ainsi magnifier ? Une vie comme celle du traducteur ? Sans réel drame, sans vrai bonheur. Vide, sèche, insatisfaisante. Le destin du colosse et celui du traducteur se croisaient ; quel malheur avaient-ils en partage ?

* * *

Le deuxième signet, la deuxième carte, toujours le même colvert. Une carte bleue qui, comme la beige de la veille, révélait une coupe de vin, un verre de bière, une flûte à champagne renversée.

Une carte placée au début de *Rapunzel.* Un pauvre homme accepte de donner son premier-né à sa voisine, une sorcière, en échange de la laitue qui fait saliver sa femme sans appétit. L'enfant est enfermé par la sorcière dans une tour sans porte ni escalier, à laquelle il n'est possible d'accéder qu'en grimpant à sa longue natte de cheveux.

Une femme dépouillée de sa progéniture comme un traducteur privé de la reconnaissance, effacé par l'auteur, inexistant, obligé d'abandonner à d'autres le fruit de son labeur.

La femme squelette, la mère sans enfant…

* * *

Une paire cette fois. Une carte bleue et une carte beige, ornées de la même tranche dorée, du même colvert envolé. Deux cartes pour la même image. Un homme bougon, une bouillotte sur la tête. Un homme sans blessure qui aurait bien pu être le traducteur. À son tour d'entrer dans l'énigme. Ainsi découvert, il ne pouvait plus se mentir, ne pouvait plus croire qu'il ne savait rien. Sa mémoire finirait bien par rendre les armes. Une carte bleue et une carte beige insérées à la première page de *La Petite Fille aux allumettes.* Le soir du dernier jour de l'année, une fillette ne peut rentrer chez elle sans avoir vendu quelques allumettes. Glacée, sans pantoufles, elle meurt gelée après avoir essayé de se réchauffer avec ses allumettes, les craquant une à une, réconfortée par les visions heureuses apparaissant dans la flamme.

Une fillette déjouée par la vie lutte pour sa survie réfugiée dans l'imaginaire.

Il se sentait un peu comme elle…

* * *

Le traducteur était-il réellement fou ? Avait-il tout imaginé ? S'était-il inventé de la compagnie pour s'aider à vivre la catastrophe ? Ses apparitions lui parlaient de son drame d'une manière si énigmatique qu'elles ne l'aidaient pas à s'en sortir. Les images d'un deuil impossible à faire.

Pourquoi ces mensonges, qu'ils soient les siens ou ceux des rameurs ? La vérité était-elle si horrible, si cruelle qu'il valait mieux s'inventer une autre vie, partir à neuf, tout réinventer ?

Encore une carte. Toutes les cartes, une par une, paire par paire. Toutes les histoires, tous les contes exposés devant lui. Il n'y avait plus d'autre choix, plus d'autre possibilité. Depuis longtemps sans rien à perdre, le traducteur était maintenant trop loin, trop enfoncé pour envisager de rebrousser chemin, de bifurquer, de tout abandonner.

Souriante et épanouie, une femme enceinte aux cheveux bruns bouclés. Sa femme cruelle, sa Nuit des longs couteaux, au cœur du drame, trônant parmi les rameurs, enceinte de son amant, fécondée par le diable. Tarentule, couleuvre, ciguë.

* * *

La carte de sa femme avait été placée au début de *Rumpelstilzchen.* Venu à la rescousse d'une paysanne obligée par le roi à transformer la paille en or, un nain mystérieux accomplit le travail, d'abord pour quelques bijoux, puis contre la promesse que la jeune femme, devenue reine, lui donne son premier-né. Le moment venu de prendre l'enfant, le nain a pitié de la pauvre mère : il renoncera au nouveau-né, si elle réussit à deviner son nom.

Le nain sans nom et ses promesses de richesse…

* * *

Toujours des cartes, encore des cartes. Du bleu, du beige ; du beige, du bleu. Deux par deux. Deux cartes pour une seule image.

Cette fois, un dessin du visage de l'intrus : cireux, les yeux noirs en fente, la canne à la main, l'air maléfique. L'Américain, l'homme derrière la porte.

Pas de question. Rien. Endurer tout ce qu'il y avait à endurer. Continuer à progresser. Ne pas se laisser distraire par l'intrus. Avancer, avancer, foncer jusqu'à la fin, blindé, aveugle et sourd, tout droit vers la fin, tout droit vers la sortie. Pas de question. Rien. La suite.

Un autre conte. *La Petite Sirène.* Pour l'amour d'un beau prince qu'elle a sauvé de la noyade, une jeune sirène conclut un marché avec une sorcière : elle lui cède sa merveilleuse voix en échange de jambes qui lui permettront de vivre parmi les humains. N'ayant toutefois pas réussi à gagner le cœur du prince, la petite sirène, désormais mortelle, se jette à la mer et devient écume. Le triste sort de la femme sans jambes.

À l'instar de la sirène, le traducteur avait renoncé à sa voix. Muet et malaimé dans la vie et dans le texte.

* * *

Encore des cartes, toujours des cartes. Le même bleu, le même beige. Un livre bourré de colverts.

L'Intrépide Soldat de plomb. Un soldat de plomb n'ayant qu'une jambe tombe amoureux d'une ballerine de papier. Jeté dans le poêle par un garçonnet, il y est rejoint par la ballerine, emportée dans les flammes par un coup de vent.

La ballerine au bras brûlé, entraînée à sa perte par son amant…

* * *

Encore deux cartes, toujours deux cartes, aucune issue, pas de sortie, jamais de fin, de vérité ni de délivrance, mais des colverts partout dans la pièce, des colverts pris au piège dans la volière, battant des ailes, énervés, nasillant, cacabant, criaillant, prêts à attaquer, prêts à tout sacrifier pour leur liberté. Un gros nuage ; des plumes vertes, noires, brunes, en tourbillon dans les airs, tombées sur le sol, le livre, le lit ; obscurcissant la vue, brouillant la réalité. Un ouragan, un cyclone, un typhon, encore, toujours le gouffre du maelström. Toujours, toujours.

Une carte bleue, une carte beige. Une scène d'orage qui n'éveilla aucun souvenir chez le traducteur assis par terre, sans pensée, idée ni question, comme avant, comme celui qu'il avait toujours été.

Le Joueur de flûte de Hamelin. À l'aide de sa flûte, un homme débarrasse la ville de Hamelin d'une infestation de rats en attirant les rongeurs à la rivière. Malgré leur promesse, les habitants refusent de payer le musicien. Pour se venger, ce dernier attire les enfants de la ville jusqu'à une grotte, qui se referme derrière eux.

Le suicidé. Le septième rameur. Un imposteur, un rameur qui cachait bien son jeu. Faux et fourbe comme les autres.

* * *

La dernière paire, le dernier conte pour le huitième rameur. Deux autres oiseaux dans la volière. Du bleu et du beige parmi les plumes.

La dernière image. Une onomatopée. Un gros « bang » rouge dans un cercle jaune dentelé. Une explosion. Une farce. Un pétard à la farine, un diable à ressort. Un choc terrible. Le début de l'impossible.

Un dernier conte, celui de *La Chasse-galerie*. Un groupe de bûcherons qui s'embarquent à bord d'un canot volant pour aller fêter le Nouvel An dans leur famille. Un voyage fantastique, un pacte avec le diable et un groupe pair de rameurs.

Pas de conte pour le traducteur : pas de mensonge, pas d'histoire inventée, que le départ, que le jour d'aujourd'hui.

* * *

L'histoire du canot, sept contes de rameurs et une suite de colverts déboussolés, détraqués, jamais partis pour le Sud.

Une assiette de sandwichs et des verres d'alcool vides, le traducteur malade et sa femme enceinte, l'Américain maléfique et l'auto disparue, l'orage et le choc brutal.

Des oiseaux affolés, des clés sans serrure et toujours le même vortex, creusant une grande fosse devant ses yeux.

* * *

Puis, la dernière clé.

Au fond de la pièce, quelques pages de journal étalées sous des pots de peinture verte. Des titres soulignés au feutre rouge.

Le point de rencontre de la réalité et de la fiction. La jonction, la frontière entre les deux mondes enfin visible.

Sept articles pour sept rameurs. Une rafale de cauchemars. Des oiseaux fous tourbillonnant dans la chambre d'enfant.

Le 16 mai de l'année en cours. Un entrefilet. La tentative de suicide d'un jeune exterminateur, principal suspect d'une histoire d'enfants disparus. Le 3 avril. La une d'un journal à sensation. Photo couleur et titre sanglant. Un adolescent unijambiste affublé d'une veste militaire aux slogans anarchistes entourant de son bras trop long la taille menue d'une jeune fille. « Brûlés par leur vice : ils mettent le feu à l'essence qu'ils reniflent. » La suite. La réalité tout à coup exposée, obscène, disgracieuse, de plein fouet dans le cauchemar du traducteur. Le 25 mars. Un petit article. Un fait divers. Une victime de la thalidomide repêchée des eaux glacées du Saint-Laurent. Toujours, encore, plus. Un journal de l'année d'avant. Quelques lignes. Un homme d'affaires, escroc pédophile, battu en cellule. Décembre de l'année d'avant. La une. Une grosse photo et un dossier-choc. Une petite élève, frisée comme un mouton, découverte vêtue d'une robe de nuit et de pantoufles, en état d'hypothermie dans une ruelle de Montréal. La consternation publique et des parents traînés en justice. Plus tôt dans le mois. Le journal du coin. Des prières et des vœux de prompt rétablissement pour la responsable de la pastorale. Une collecte de fonds pour la recherche sur l'anorexie mentale. Un journal de deux ans auparavant. Décembre. La une et un cahier spécial sur la violence policière. Un soir de dépression qui finit dans une mare de sang pour un homme au cœur d'oiseau.

Coma.

Sept rameurs pour sept comas.

S'étaient-ils tous réveillés le même jour ? Que faisaient-ils tous ensemble chez le traducteur ? Pourquoi vouloir l'emmener avec eux ? Pourquoi ces éclopés regroupés dans son arrière-cour ? Un culte : celui de l'oubli. Une secte : celle des damnés. L'espoir déchu d'autre chose : la rédemption avortée.

Coma.

Sept drames contaminés par les contes. Sept vérités derrière sept paraboles.

Coma.

Le traducteur était-il victime d'une mauvaise farce ? D'un coup monté réglé dans les moindres détails ? D'une machination de sa femme ou d'un troupeau de convalescents détraqués par un séjour prolongé hors de la vie ? Victime de sa femme acérée et d'une bande de morts vivants dont les battements de cœur et les respirations avaient été trop longtemps rythmés par une machine.

Coma.

Était-il en train de fabuler, perdu lui aussi dans le coma ? Dans un monde parallèle, un grand couloir de transition ? Prisonnier d'un cauchemar ? Drogué dans une ruelle ? Malade mental ? Déjà mort ?

Tout était possible et impossible à la fois. Exagéré. Peu commun.

Coma.

Sans échappatoire, fatigué, amer, le traducteur se savait incapable de ne plus se souvenir, de retenir encore les colverts. Trop de choses avaient été découvertes. Il devait s'abandonner, cesser de résister, laisser enfin sa mémoire triompher, se déplier, se déployer, prendre de l'expansion dans sa tête, quitte à la faire exploser. Affreuse mémoire, traîtresse, tyran.

Coma.

Le temps s'écoulait, l'Américain n'attendrait plus très longtemps. Il fallait revenir à la première clé, aux huit cartes de la fillette noircie.

Coma.

Sept rameurs dans le coma et ce foutu 27 mai.

Sa femme

Un rire qui n'en finissait plus. Étrangement dérangeant, hystérique et forcé. Déchaîné, cruel, malsain. Rempli de violence. Un rire en montagnes russes, de l'aigu au grave, du grave à l'aigu.

Comme un mauvais présage.

* * *

Foutu 27 mai. *Dies iræ, dies illa :* jour de colère, ce jour-là ! Aveugle, incapable de voir à deux pas devant, inconscient qu'on n'y voyait rien sous le rideau de pluie battante, dans l'impossibilité de ne plus être fâché, las, déprimé, le traducteur refusait sa détresse, ses mains tremblantes, ses sanglots ravalés. Il fallait secouer cette femme, la fouetter un peu, la réveiller.

Pourquoi devait-il conduire chaque fois qu'il sortait ? Pourquoi fallait-il que ce soit toujours lui ? Ce soir, il était malade. Empoisonnement alimentaire, virus du Nil, bactérie mangeuse de chair, méningite ou grippe aviaire ; peu importe, n'importe quoi, ce qu'elle voudrait bien croire, pourvu qu'il ne conduise pas, pourvu qu'elle paie un peu. La faire conduire sous cette pluie. La faire payer.

Sa mémoire l'avait abandonné bien avant le choc du drame. Absent parmi les convives, détaché de lui-même malgré l'anneau au doigt, le traducteur mûrissait déjà son plan depuis quelques instants – les coudes dans le buffet, presque couché dans un amoncellement de verres vides – lorsqu'elle avait daigné venir lui présenter le grand sculpteur, l'homme de toutes les réussites, celui qui mit le feu aux poudres. Américain, par-dessus le marché ; un vrai, à l'accent nasillard et aux manières galantes des gens du Sud. Un petit homme rond qui s'étonnait d'entendre parler français en Amérique. Chauve. Ne lui manquait que la canne. Avec des verres grossissant ses yeux pâles de myope. Une boule d'homme aux joues écarlates d'avoir trop dansé avec la femme du traducteur. Irritant, mais sans pouvoir. Sans l'ombre d'une aura.

Pouilleux, bougon, grognon, vêtu d'un pantalon de velours usé et d'une chemise fripée, subtilement tachée de sauce à cocktail, poilu au visage et sans vraie coupe de cheveux, fatigué d'être en couple, mais incapable de vivre sans elle, le traducteur aigri s'était fait un plaisir de tousser sur l'Américain, avant d'agripper sa femme par le bras pour la mener vers la sortie.

La fête était finie, il fallait qu'elle paie.

Le traducteur était le plus cruel des deux. Le maniaque, l'affreux, le malfrat. Celui qui n'en pouvait plus, le malheureux de son sort, le mécontent de sa vie. Paranoïaque, asocial. Le ni très bon mari ni très bon humain, l'échec, le rien du tout dans cette soirée où tout le monde s'amusait pendant qu'il buvait et s'empiffrait de petits sandwichs dégoûtants, pendant qu'il buvait et essayait d'oublier, qu'il buvait et se foutait de tout, qu'il buvait et faisait semblant de ne pas la voir.

* * *

Des trombes de pluie, de l'eau partout. L'autoroute comme un fleuve.

Aveugle, mais incapable d'être sourd, forcé de râler pour couvrir les murmures et la respiration saccadée de sa femme, le traducteur tourna le bouton de la radio pour cesser enfin de l'entendre, pour l'oublier complètement. Cette fois-ci, enfin, aucun tort ne serait avoué, aucune excuse ne serait présentée.

Une station humoristique. Un imbécile concours de rires. N'importe quoi pour oublier, se reposer – de tout, de la vie, de cette femme fatiguée, grossie, blanchie. De cette femme qui regrettait peut-être d'attendre un enfant de lui.

S'absenter encore un peu. Vivre seul dans sa tête. Plus fort le volume, plus fort. Des rires à tue-tête. Un rire qui n'en finissait plus. Étrangement dérangeant, hystérique et forcé. Déchaîné, cruel, malsain. Rempli de violence. Un rire en montagnes russes, de l'aigu au grave, du grave à l'aigu.

Un rire qui, ce soir-là de la fin mai, enterra les crissements de pneus et les hurlements, un rire qui les poursuivit après l'impact, projeta l'enfant dans les limbes et fit disparaître sa femme pour toujours.

Un rire qui saisit le traducteur à la gorge, lui fit ravaler son cri, le rendit muet. Un rire qui, voulant marquer la fin de tout, le laissa seul derrière, comme une coquille vide.

La fin

Il n'arrivait plus à différencier le rêve de la réalité. Chaque fois qu'il croyait comprendre où il en était et pourquoi, la vérité lui échappait. C'était tendre la main pour toucher le bleu du ciel ou de la mer.

Deux cartes à jouer glissées sous la porte, poussées là par l'intrus ou le rameur suicidé.

Du début à la fin, le bleu, le beige et les colverts, mais cette fois deux revers différents. Après tant de mystère et d'impossible, la fin, simple et banale, facile et sans souffrance. Une carte pour chaque choix. Une pour le retour, l'autre pour le canot.

Le moment tant attendu, l'instant décisif.

La fin du naufrage.

Reprendre sa vie sans sa femme ou oublier avec les autres. Dans les deux cas, ne plus être traducteur, ne plus être ce qu'il avait toujours été.

Choisir le bleu ou le beige.

Complètement soûl, encore bourré de petits sandwichs, partir platement, sans en avoir eu le pressentiment. Superflu, sans descendance ni réussite. Partir en étant venu pour rien, sinon pour en emporter d'autres avec soi. Le bleu ou le beige, le beige ou le bleu.

Libéré, affranchi, retourner enfin à celle d'avant. La sienne. Celle qui pardonne tout. Essayer d'y croire encore un peu…

Rester en sachant être le monstre. Le cruel du couple. L'homme qui la voulait morte.

Toute cette mémoire libérée avec laquelle il fallait vivre. Peut-être valait-il mieux faire cesser le massacre tout de suite ? Disparaître comme sa femme avant lui – sa femme qui n'existait plus, sa femme qu'il ne reverrait nulle part.

La mort de sa femme... Était-ce vraiment ce que le traducteur souhaitait ? Ces centaines de morts imaginées au fil des ans. Toute cette vie vécue auprès d'elle sans savoir s'il voulait être là.

Cruel, malsain, morbide – faible, minable, mauvais –, le traducteur avait existé des années dans la mort de sa femme, avait trouvé sa profondeur dans l'idée de ce drame.

Femme du quotidien. Femme de lassitude et d'ennui.

Quelle place Dieu réserverait-il à un lâche ? À un égoïste ? À une sorte d'assassin ?

Un inapte, un peureux.

Fatigué, fatigué, fatigué – désespéré, le traducteur ignorait jusqu'à la raison pour laquelle il avait tant voulu cette mort.

Par masochisme ou par survie. Pour se changer les idées, se faire du bien. Se libérer, se prendre en main. Pour ne pas avoir le choix.

Pour aller enfin mieux.

Se débarrasser de tout. Cesser sa vie d'avant.

À la recherche d'une liberté, d'un sens, d'une voie.

Était-il possible d'être perdu à ce point ? De ne pas savoir autant ?

Il aurait voulu comprendre ce qu'il était, ce qu'il désirait. Savoir ce qui était à la source de son malheur, de sa perdition. De son absence.

Tant de chemin parcouru pour en arriver là. Pour en arriver à presque rien. À rien qui ne ferait vraiment du bien au traducteur. À de la fiction, à une absence de vraie réponse. Une autre échappatoire, un dérivatif.

Son histoire n'aurait jamais la fin voulue. Puisqu'elle n'existait tout simplement pas. Il était trop faible pour l'inventer. Elle ressemblerait à s'y méprendre à la folie.

Sachant qu'il perdait son temps à décider de l'inutile, au courant de tous les mensonges, le traducteur n'avait plus le cœur de continuer. Il était maître de tout. Peureux, cruel, pathétique, mais maître de tout.

Rester ou partir, recommencer ou finir, il n'aurait de toute façon su que décider. Mais pour une fois dans sa vie – par lassitude ou par audace, par besoin de rêve ou de révolte –, le traducteur aurait eu envie de choisir la carte beige, peu importe ce qu'elle révélerait, simplement pour que son canard colvert vole ailleurs que dans le bleu, pour qu'il soit libre de choisir sous quels cieux voler.

* * *

S'il n'avait pas été d'un coup si lucide, s'il n'avait pas tout su, tout compris, s'il n'avait pas dû sortir faire des courses, si sa femme ne l'avait pas attendu dans l'entrée, avec le manteau sur le dos, le traducteur – trop pris, trop peureux pour être autrement – aurait voulu changer le cours de l'histoire, avoir enfin du courage, se défaire de sa coquille, sortir du cocon, devenir autre chose.

Traducteur perdu, traducteur séché.

Œil de verre, postiche, dentier.

Romans parus à L'instant même :

La complainte d'Alexis-le-trotteur de Pierre Yergeau
L'homme à qui il poussait des bouches de Jean-Jacques Pelletier
Les étranges et édifiantes aventures d'un oniromane de Louis Hamelin
Septembre en mire de Yves Hughes
Suspension de Jean Pelchat
L'attachement de Pierre Ouellet
1999 de Pierre Yergeau
Le Rédempteur de Douglas Glover (traduit de l'anglais
par Daniel Poliquin)
Un jour, ce sera l'aube de Vincent Engel (en coédition avec Labor)
Raphael et Lætitia de Vincent Engel (en coédition avec Alfil)
Les cahiers d'Isabelle Forest de Sylvie Chaput
Le chemin du retour de Roland Bourneuf
L'écrivain public de Pierre Yergeau
Légende dorée de Pierre Ouellet
Un mariage à trois de Alain Cavenne
Ballade sous la pluie de Pierre Yergeau
Promenades de Sylvie Chaput
La vie oubliée de Baptiste Morgan (en coédition avec Quorum)
La longue portée de Serge Lamothe
La matamata de France Ducasse
Les derniers jours de Noah Eisenbaum de Andrée A. Michaud
Ma mère et Gainsbourg de Diane-Monique Daviau
La cour intérieure de Christiane Lahaie
Les Inventés de Jean Pierre Girard
La tierce personne de Serge Lamothe
L'amour impuni de Claire Martin
Oubliez Adam Weinberger de Vincent Engel
Chroniques pour une femme de Lise Vekeman
Still. Tirs groupés de Pierre Ouellet
Loin des yeux du soleil de Michel Dufour
Le ravissement de Andrée A. Michaud
La petite Marie-Louise de Alain Cavenne
Une ville lointaine de Maurice Henrie

À l'intérieur du labyrinthe de Vincent Chabot
La désertion de Pierre Yergeau
Des clés en trop, un doigt en moins de Laurent Laplante
La brigande de Claire Martin
Mon voisin, c'est quelqu'un de Baptiste Morgan
(en coédition avec Fayard)
Le Siège du Maure de Louis Jolicœur
L'ange au berceau de Serge Lamothe
Banlieue de Pierre Yergeau
Hôtel des brumes de Christiane Lahaie
L'imaginaire de l'eau de Danielle Dussault
Orfeo de Hans-Jürgen Greif
Il s'appelait Thomas de Claire Martin
Cavoure tapi de Alain Cavenne
Passer sa route de Marc Rochette
Le cercle parfait de Pascale Quiviger
Les Baldwin de Serge Lamothe
Nulle part ailleurs de Sabica Senez
L'inconnu parle encore de Claire Martin
Platebandes de Alain Cavenne
L'inconnu dans la voiture rouge de Michel Dufour
Une femme s'en va de Diane-Monique Daviau
Les amours perdues de Pierre Yergeau
Ce n'est rien de Suzanne Marcil
L'art de la fuite de Baptiste Morgan
Si tu traversais le seuil de Françoise Roy
Mineures de Marie-Pascale Huglo
La Cité des Vents de Pierre Yergeau
La taupe de Jean Chartier
Iphigénie en Haute-Ville de François Blais
Chuchotements de Claude Jacqueline Herhuin
Xanadou de Patrick Tillard
Glissement de terrain de Vahram Martirosyan
Le passeur d'éternité de Roland Fuentès
Salamandres de Danielle Dussault
La bonbonnière de Hans-Jürgen Greif et Guy Boivin

Nous autres ça compte pas de François Blais
Marcher sur l'eau de Lyse Charuest
L'enlèvement de Bill Clinton de Cyrille Martinez
Le jugement de Hans-Jürgen Greif
Le mur et l'arpenteur de Roland Fuentès
Le projet Syracuse de Georges Desmeules

ACHEVÉ D'IMPRIMER
EN JUILLET 2008
SUR LES PRESSES DE MARQUIS IMPRIMEUR INC.
SUR PAPIER SILVA ENVIRO
100 % POSTCONSOMMATION